COMMENT GÉRER
SON FONDS DE ROULEMENT

Les Éditions Transcontinental inc.
1253, rue de Condé
Montréal (Québec) H3K 2E4

Tél. : (514) 925-4993
(888) 933-9884 (sans frais)
Internet : www. logique.com

Fondation de l'Entrepreneurship
160, 76e Rue Est, bureau 250
Charlesbourg (Québec) G1H 7H6

Tél. : (418) 646-1994
(800) 661-2160 (sans frais)
Internet : www.entrepreneurship.qc.ca

La collection *Entreprendre* est une initiative conjointe de la Fondation de l'Entrepreneurship et des Éditions Transcontinental afin de répondre aux besoins des futurs et des nouveaux entrepreneurs.

Révision :
Marielle Champagne et Pascal Saint-Gelais

Correction d'épreuves :
Pierre Phaneuf

Photocomposition et mise en pages :
Ateliers de typographie Collette inc.

Dépôt légal — 3e trimestre 1995
2e impression, février 1998
Bibliothèque nationale du Québec
Bibliothèque nationale du Canada

ISBN 2-921030-94-2 (Les Éditions)
ISBN 2-921681-17-X (La Fondation)

Les Éditions Transcontinental remercient le ministère du Patrimoine canadien et la Société de développement des entreprises culturelles du Québec d'appuyer leur programme d'édition.

RÉGIS FORTIN

COMMENT GÉRER SON FONDS DE ROULEMENT

POUR MAXIMISER SA RENTABILITÉ

À Claudia et à Francis

La Fondation de l'Entrepreneurship œuvre au développement économique et social en préconisant la multiplication d'entreprises capables de créer l'emploi et de favoriser la richesse collective.

Elle cherche à dépister les personnes douées pour entreprendre et encourage les entrepreneurs à progresser en facilitant leur formation par la production d'ouvrages, la tenue de colloques ou de concours.

Son action s'étend à toutes les sphères de la société de façon à promouvoir un environnement favorable à la création et à l'expansion des entreprises.

La Fondation peut s'acquitter de sa mission grâce à l'expertise et au soutien financier de quelques organismes. Elle rend un hommage particulier à ses trois partenaires :

et remercie ses gouverneurs :

TABLE DES MATIÈRES

LISTE DES FIGURES

LISTE DES TABLEAUX

AVANT-PROPOS

La Fondation de l'Entrepreneurship souhaite la bienvenue à un nouvel auteur dans sa collection Entreprendre.

Régis Fortin enseigne la finance à l'Université du Québec à Rimouski. Il est responsable du cours intitulé *Gestion du fonds de roulement*, auquel le département d'économie et de gestion attribue 15 crédits. Ce cours traite spécifiquement de l'utilisation rationnelle des liquidités de l'entreprise. Quand on songe au nombre et à la variété des opérations de l'entreprise, on comprend toute l'importance que le professeur Fortin et son université accordent au fonds de roulement. L'UQAR est l'une des rares institutions d'enseignement à offrir ce cours. Pourtant, Ronald C. Hume, reconnu pour ses publications sur la finance et le marketing, accorde au fonds de roulement une importance variant de 30 % à 60 % parmi les six composantes nécessaires au succès dans un démarrage d'entreprise.

Il se trouve des entreprises qui, même si elles réalisaient des profits, ont dû déclarer faillite parce que la gestion de leur fonds de roulement était inadéquate. On dit même qu'une entreprise peut, indépendamment de ses opérations, faire des profits simplement en gérant sainement ses liquidités. *Comment gérer son fonds de roulement* permet au lecteur d'explorer toutes les caractéristiques et les modalités qui entourent le fonds de roulement. À la fin de chaque chapitre, on retrouve une bibliographie détaillée et pratique.

L'auteur explique, entre autres, comment préparer et utiliser un budget de caisse pour évaluer les politiques de gestion du fonds de roulement. Il insiste également sur la nécessité de maintenir l'équilibre entre les diverses composantes. Par exemple, il faut éviter d'accumuler trop d'argent liquide ou trop de stock, mais maintenir des quantités suffisantes pour répondre aux besoins, tout en évitant la rupture de stock ou, pire encore, la rupture des liquidités.

L'ouvrage s'adresse d'abord aux nouveaux entrepreneurs sur le point de lancer leur entreprise. Une lecture attentive leur procurera une meilleure compréhension de l'importance que revêt la gestion du fonds de roulement au cours de cette période critique. À tous les autres entrepreneurs, nous suggérons également d'acquérir *Comment gérer son fonds de roulement,* qui s'avérera un excellent livre de référence. En effet, les entrepreneurs rompus au métier auront sans doute avantage à compléter leurs connaissances en s'informant des nouvelles règles découlant de l'ouverture des marchés internationaux aux entrepreneurs du monde entier.

La Fondation de l'Entrepreneurship a l'immense satisfaction de présenter aux lecteurs de sa collection *Entreprendre* un ouvrage original qui traite avec grande simplicité et clarté d'un sujet longtemps perçu comme l'apanage des initiés.

Monique Dubuc
Fondation de l'Entrepreneurship

INTRODUCTION

Lors de discussions d'affaires, l'expression « fonds de roulement » revient souvent. On entend par exemple des commentaires qui ressemblent à ceux que j'ai notés ci-dessous.

> « Cette entreprise a un bon fonds de roulement. »
>
> « Le fonds de roulement, c'est le nerf de la guerre. »
>
> « Pour démarrer, il vous faudra un fonds de roulement de 200 000 $. »
>
> « Son fonds de roulement est mal géré. »
>
> « Ils ont acheté trop de matériel à même le fonds de roulement. »

Que veut-on dire au juste ? Est-ce que l'expression désigne la même chose pour tous ? C'est loin d'être certain, et lorsque deux interlocuteurs discutent de fonds de roulement, ils ne se comprennent pas toujours. L'expression est imprécise et utilisée à toutes les sauces. Ce livre s'adresse donc à tous ceux à qui on a parlé de fonds de roulement et qui reconnaissent le besoin d'en savoir plus long sur le sujet.

Certes, on se doute que le fonds de roulement est lié aux éléments d'actif et de passif à court terme dans l'entreprise. Il y a toutefois plusieurs façons de le mesurer, ce qui entraîne souvent la confusion. On reconnaît tous aussi qu'il faut le gérer adéquatement. Mais comment ? Il existe, en effet, plusieurs stratégies possibles, ayant chacune ses avantages et ses inconvénients. Pour démêler tout cela, ce livre divise l'étude de la gestion du fonds de roulement en sept chapitres.

Le premier chapitre vise à clarifier la notion de fonds de roulement, ce qui permettra en même temps de mieux cerner son importance dans une entreprise. Quelques définitions simples, présentées au début, vous aideront à préciser vos idées lorsque vous aborderez le thème du fonds de roulement. Par la suite, nous pourrons nous concentrer sur les éléments qui le constituent.

Le cœur du livre se compose de quatre chapitres qui portent tour à tour sur la gestion de l'encaisse, la gestion des comptes à recevoir, la gestion des stocks et le financement du fonds de roulement. Vous apprendrez à utiliser des techniques de gestion qui visent à réduire la taille du fonds de roulement et à éviter ainsi d'immobiliser inutilement des capitaux.

Le chapitre 2, sur la gestion de l'encaisse, présente plusieurs façons de réduire les délais d'encaissement. On y traite des moyens utilisés pour centraliser les liquidités et des outils de placement temporaire qui permettent de réaliser des revenus d'intérêt. Une panoplie de services bancaires pouvant aider l'entreprise à gérer plus efficacement son encaisse sont décrits. Les frais engagés sont aussi examinés. Les points à considérer lors de l'élaboration d'une politique de crédit sont étudiés au chapitre suivant, portant sur la gestion des comptes à recevoir. On y décrit les différentes formes de crédit et les diverses conditions de vente. On aborde également les méthodes de perception, l'assurance-crédit et les outils de contrôle des comptes à recevoir.

Le chapitre 4 porte sur la gestion des stocks et traite, entre autres, de la distribution des articles en stock, du système d'information et des stocks de sécurité. La question primordiale du financement fait l'objet du chapitre 5. On y décrit les principaux types d'emprunts disponibles pour les petites et moyennes entreprises. On traite des garanties de prêt et de l'évaluation des coûts réels d'un emprunt. On explique aussi comment monter et présenter un dossier de demande d'emprunt.

Le sixième chapitre porte sur la planification financière à court terme, outil essentiel à la bonne gestion du fonds de roulement. On passe en revue toutes les étapes de la préparation des états financiers prévisionnels à partir d'une étude de cas. Vous pourrez alors constater que la préparation d'un budget de trésorerie, même si vous déléguez en partie sa réalisation, permet de mettre en lumière les variables clés de vos résultats financiers. Le budget de trésorerie est aussi l'instrument idéal pour évaluer l'impact financier d'un changement dans les méthodes de gestion du fonds de roulement. Une vue d'ensemble des diverses stratégies de financement est présentée en guise de conclusion dans le dernier chapitre.

Les lourdes démonstrations mathématiques ont été exclues de ce livre. À l'occasion, on indique la façon de calculer le montant attribuable à la réduction d'un délai, le délai d'encaissement par exemple. Il s'agit toutefois de calculs très simples. Une certaine connaissance de la présentation usuelle des états financiers est requise, mais un bref rappel, présenté au premier chapitre, devrait mettre tous les lecteurs à égalité. De nombreux exemples, des tableaux et des figures accompagnent le texte pour illustrer concrètement les concepts et les méthodes expliqués.

Nous nous permettons donc d'espérer que la lecture de ce livre permettra à un grand nombre d'entrepreneurs de trouver des solutions pratiques et innovatrices afin de mieux gérer le fonds de roulement de leur entreprise.

CHAPITRE 1

L'IMPORTANCE DU FONDS DE ROULEMENT

Au démarrage d'une entreprise ou à la préparation d'un projet d'expansion, la question du financement est inévitablement évoquée. On pense alors aux fonds requis pour acquérir ou construire des immeubles et pour acheter du matériel. Par la suite, au cours de discussions sur les choix de financement, des conseillers ou des banquiers attirent notre attention sur le financement du fonds de roulement. Qu'en est-il au juste ? Examinons cette question de plus près.

LE FONDS DE ROULEMENT : DE QUOI S'AGIT-IL ?

Pour bien saisir le sens de l'expression « fonds de roulement », quelques notions élémentaires de comptabilité s'avèrent indispensables. En particulier, il faut savoir lire et interpréter sommairement un bilan d'entreprise. Faisons un bref rappel de ces notions.

Le tableau 1.1 présente un bilan typique, celui des entreprises Fonrou inc., au 31 décembre 1995. Dans la colonne de gauche, on énumère les éléments qui composent l'actif de l'entreprise. On les classe en deux catégories : l'actif à court terme et l'actif à long terme. L'usage veut que ces éléments soient classés du plus liquide, c'est-à-dire ceux qu'on peut rapidement transformer en argent, au moins liquide. C'est ainsi que les placements à court terme viennent avant les comptes à recevoir et les stocks. L'actif à long terme représente les immobilisations (terrain, bâtiment, mobilier et matériel).

Dans la colonne de droite, on énumère les éléments du passif de l'entreprise et de l'avoir des actionnaires. Parce que la colonne de droite indique comment les éléments de l'actif sont financés, son total est toujours identique à celui de la colonne de gauche. On distingue ici aussi les éléments à court terme et les éléments à long terme.

Le passif à court terme comprend les dettes que l'entreprise devrait normalement payer d'ici un an : ce sont les exigibilités. Cela ne veut pas dire que dans un an, elles seront nulles. La plupart du temps, ces dettes sont reconduites. Par exemple, les salaires à payer, qui s'élèvent à 15 000 $ au 31 décembre 1995, sont ceux qui n'ont pas encore été versés parce que les employés sont rémunérés toutes les deux semaines. Dans un an, le même montant figurera au bilan, mais il s'agira des salaires à payer pour la dernière semaine de décembre 1996 et non de décembre 1995. Les exigibilités les plus courantes sont les emprunts à court terme, les comptes à payer, les salaires, les impôts, les autres frais à payer et la portion des dettes à long terme exigible avant un an. Dans le tableau 1.1, les exigibilités représentent 150 000 $; c'est le total du passif à court terme.

La catégorie suivante, la dette à long terme, comprend tous les emprunts dont l'échéance est supérieure à un an. Il s'agit le plus souvent d'emprunts garantis par hypothèque sur les éléments d'actif à long terme (matériel, bâtiment, terrain, etc.).

Quant à l'avoir des actionnaires, il représente la mise de fonds des actionnaires de l'entreprise. On constate dans le tableau que les actionnaires ont investi 225 000 $ sous forme d'actions ordinaires et d'actions privilégiées. Ils ont aussi réinvesti 25 000 $ des bénéfices réalisés au cours des années précédentes. Parce qu'il constitue la dette de l'entreprise envers ses actionnaires, l'avoir est placé dans le bilan du même côté que les dettes.

On peut maintenant préciser la notion de fonds de roulement. L'origine de l'expression vient du fait que le fonds de roulement désigne les éléments du bilan qui « roulent », c'est-à-dire qui sont remplacés souvent. Par exemple, les comptes à recevoir sont remplacés par d'autres plusieurs fois dans une année, même si plusieurs bilans successifs pourraient indiquer des sommes semblables.

Le total de l'actif à court terme constitue le **fonds de roulement brut**. Le tableau 1.1 indique un fonds de roulement brut de 200 000 $ au 31 décembre 1995. Au cours d'une année, le fonds de roulement brut d'une entreprise varie en fonction de ses cycles de ventes, mais il ne baisse jamais à zéro, puisque cela voudrait dire que l'entreprise fonctionne sans stocks, sans comptes à recevoir et sans encaisse. L'entreprise doit donc maintenir un fonds de roulement brut positif, ce qui représente un investissement en argent. Lors du démarrage d'une nouvelle entreprise ou d'un projet, une estimation du fonds de roulement brut est nécessaire au même titre qu'une estimation des immobilisations. On obtient ainsi la somme des éléments d'actif à réunir pour démarrer.

Le **fonds de roulement naturel** s'obtient en soustrayant du total de l'actif à court terme toutes les exigibilités (comptes à payer, salaires, impôts et autres frais), sauf les emprunts à court terme et la portion des dettes à long terme exigible avant un an. Le tableau 1.1 nous montre un fonds de roulement naturel de 75 000 $, obtenu par le calcul suivant :

Fonds de roulement naturel = 200 000 $ – 60 000 $ – 15 000 $ – 5 000 $ – 45 000 $ = 75 000 $

Alors que le fonds de roulement brut est une estimation de la valeur de l'actif à court terme, le fonds de roulement naturel indique le montant qu'il faut investir pour financer l'actif à court terme. Le fonds de roulement naturel est nécessairement plus petit que le fonds de

Tableau 1.1

LES ENTREPRISES FONROU INC. : BILAN AU 31 DÉCEMBRE 1995	
ACTIF	**PASSIF ET AVOIR DES ACTIONNAIRES**
Actif à court terme Encaisse 25 000 $ Placements à court terme 5 000 $ Comptes à recevoir 75 000 $ Stocks 75 000 $ Autres éléments à court terme 20 000 $	**Passif à court terme** Emprunts à court terme 5 000 $ Comptes à payer 60 000 $ Salaires 15 000 $ Impôts 5 000 $ Autres frais à payer 45 000 $ Portion des dettes à long terme exigible avant un an 20 000 $
Total de l'actif à court terme 200 000 $	**Total du passif à court terme 150 000 $**
Actif à long terme Mobilier et matériel 140 000 $ Bâtiment 100 000 $ Terrain 60 000 $	**Passif à long terme** Emprunt à long terme 100 000 $ Total du passif à long terme 100 000 $ **Avoir des actionnaires** Actions privilégiées 25 000 $ Actions ordinaires 200 000 $ Bénéfices non répartis 25 000 $
Total de l'actif à long terme 300 000 $	**Total de l'avoir des actionnaires 250 000 $**
Actif total 500 000 $	**Passif total et avoir des actionnaires 500 000 $**

roulement brut, parce qu'une partie de l'actif à court terme est financée par les comptes à payer, les salaires, les impôts et les autres frais à payer. La notion de fonds de roulement naturel est très importante en gestion. En effet, **le fonds de roulement naturel est directement lié aux besoins de financement.**

L'utilisation de l'expression « fonds de roulement » pour désigner soit le fonds de roulement brut, soit le fonds de roulement naturel peut amener une certaine confusion. Une plus grande précision éviterait bien des malentendus[1].

QUELQUES STATISTIQUES SUR LE FONDS DE ROULEMENT

Le tableau 1.2 porte sur l'ensemble des entreprises canadiennes (excluant les institutions financières). Il montre que près de 30 % de leur actif total est constitué par l'encaisse, les comptes à recevoir et les stocks. Une autre partie, près de la moitié, provient des comptes à payer et des autres exigibilités, ce qui est une façon peu coûteuse de financer le fonds de roulement brut. Le reste, c'est-à-dire le fonds de roulement naturel, est l'objet d'un financement externe.

1. En comptabilité, on parle parfois du **fonds de roulement net**. C'est un proche parent du fonds de roulement naturel. On l'obtient en soustrayant le total du passif à court terme du total de l'actif à court terme. Le tableau 1.1 présente un fonds de roulement net de 50 000 $, obtenu par le calcul ci-dessous.

   Fonds de roulement net = 200 000 $ – 150 000 $ = 50 000 $

   Le fonds de roulement net est une estimation du montant qu'il faudra financer par des emprunts à long terme ou par l'avoir des actionnaires pour obtenir les éléments de l'actif à court terme. C'est une donnée beaucoup moins utile et qui suppose une dissociation complète entre le financement à court terme et le financement à long terme. De plus, il faudrait plutôt considérer les 20 000 $ que représente la portion des dettes à court terme exigible avant un an comme un financement à long terme. Pour toutes ces raisons, il est donc préférable d'ignorer cette définition.

Tableau 1.2

LES POSTES DU FONDS DE ROULEMENT EN POURCENTAGE DE L'ACTIF TOTAL POUR L'ENSEMBLE DES ENTREPRISES NON FINANCIÈRES AU CANADA (1990-1994)

	1990	**1991**	**1992**	**1993**	**1994**
Encaisse et dépôts	2,9 %	2,8 %	3,4 %	3,7 %	3,9 %
Comptes à recevoir	12,0	11,3	12,1	12,9	13,0
Stocks	14,5	13,8	13,2	12,5	12,3
Total des éléments d'actif à court terme	**29,4**	**27,9**	**28,7**	**29,1**	**29,2**
Comptes à payer et autres exigibilités	11,7 %	11,7 %	14,0 %	14,5 %	14,6 %
Fonds de roulement naturel	**17,7 %**	**16,2 %**	**14,7 %**	**14,6 %**	**14,6 %**

Source : Statistique Canada, Statistiques financières trimestrielles des entreprises, catalogue 61-008, premier trimestre, 1991 à 1994.

Le tableau révèle aussi que depuis 1990 les entreprises ont réduit la part du fonds de roulement naturel sur l'actif total en acceptant des comptes à payer et d'autres exigibilités proportionnellement plus élevés. On peut obtenir un tel résultat en négociant de nouvelles ententes avec ses fournisseurs pour allonger le délai de crédit. Les entreprises ont également réduit la taille relative de leurs stocks. Cela est possible en appliquant les principes du « juste-à-temps », qui suggèrent de stocker pour de plus courtes périodes.

Le tableau 1.3 présente les mêmes statistiques pour différents secteurs industriels. Dans certains secteurs, le fonds de roulement naturel est relativement plus important. C'est le cas des secteurs de la fabrication métallique, des produits chimiques et du textile, de

Tableau 1.3

LES POSTES DU FONDS DE ROULEMENT EN POURCENTAGE DE L'ACTIF TOTAL POUR DIVERSES INDUSTRIES CANADIENNES EN 1994

	Aliments, boissons et tabac	Bois et papier	Pétrole gaz et électricité	Produits chimiques et textile	Fabricction métallique	Automobile, pièces et accessoires	Matériel électronique et informatique	Construction et matériaux	Impression, édition et télédiffusion	Biens et services de consommation	Toutes les industries non financières
Encaisse et dépôts	3,6 %	2,6 %	1,9 %	4,1 %	4,3 %	3,8 %	3,8 %	7,0 %	3,6 %	5,6 %	3,9 %
Comptes à recevoir	16,6	12,1	9,1	19,7	24,8	20,1	32,0	18,3	11,4	12,8	13,0
Stocks	16,3	14,1	3,2	16,5	21,0	21,7	13,7	13,0	3,4	31,7	12,3
Total des éléments d'actif à court terme	**36,5**	**28,8**	**14,2**	**40,3**	**50,1**	**45,6**	**49,5**	**38,3**	**18,4**	**50,1**	**29,2**
Comptes à payer et autres exigibilités	19,0 %	13,0 %	9,5 %	16,3 %	19,2 %	24,4 %	25,2 %	19,4 %	10,8 %	23,4 %	14,6 %
Fonds de roulement naturel	**17,5 %**	**15,8 %**	**4,7 %**	**24,0 %**	**30,9 %**	**21,2 %**	**24,3 %**	**18,9 %**	**7,6 %**	**26,7 %**	**14,6 %**

Source : Statistique Canada, Statistiques financières trimestrielles des entreprises, catalogue 61-008, premier trimestre 1994.

l'automobile, du matériel électronique et des biens et services de consommation. Dans les secteurs du pétrole, du gaz, de l'électricité, de l'imprimerie, de l'édition et de la télédiffusion, le fonds de roulement naturel est, au contraire, moins important. Cela s'explique par une plus forte proportion de l'actif consacré aux immobilisations et au matériel.

Les tableaux 1.2 et 1.3 mettent en relief l'importance statistique du fonds de roulement dans l'ensemble de l'actif d'une entreprise. Il s'agit cependant d'une analyse qui sous-estime le temps et les efforts que doivent y consacrer les dirigeants. En effet, les actifs que le fonds de roulement représente sont renouvelés constamment, ce qui n'est pas le cas des actifs à long terme. Alors que l'entretien des immeubles et du matériel accapare sporadiquement le temps des dirigeants, la gestion des comptes à recevoir et des stocks exige beaucoup plus d'attention. Qu'on songe seulement au recouvrement des comptes, au contrôle des stocks, à la négociation des ententes de crédit, etc. La gestion du fonds de roulement est le lot quotidien de la majorité des chefs d'entreprise, même si certaines tâches peuvent être déléguées.

LES MOUVEMENTS D'ENCAISSE DANS L'ENTREPRISE

La figure 1.1 présente le cycle typique de transformation du capital dans une entreprise. On distingue trois phases. D'abord, la phase d'investissement, suivie des phases de production et de vente. C'est seulement au terme de ces trois phases que le capital se renouvelle. Observons ce processus de plus près.

Lorsqu'une entreprise ou un projet démarre, un capital initial est constitué par la mise de fonds des actionnaires et par les emprunts. C'est la phase d'investissement. Cette réserve d'encaisse permet tout d'abord l'acquisition d'immobilisations, généralement des terrains, des immeubles et du matériel lourd. Une bonne

Figure 1.1

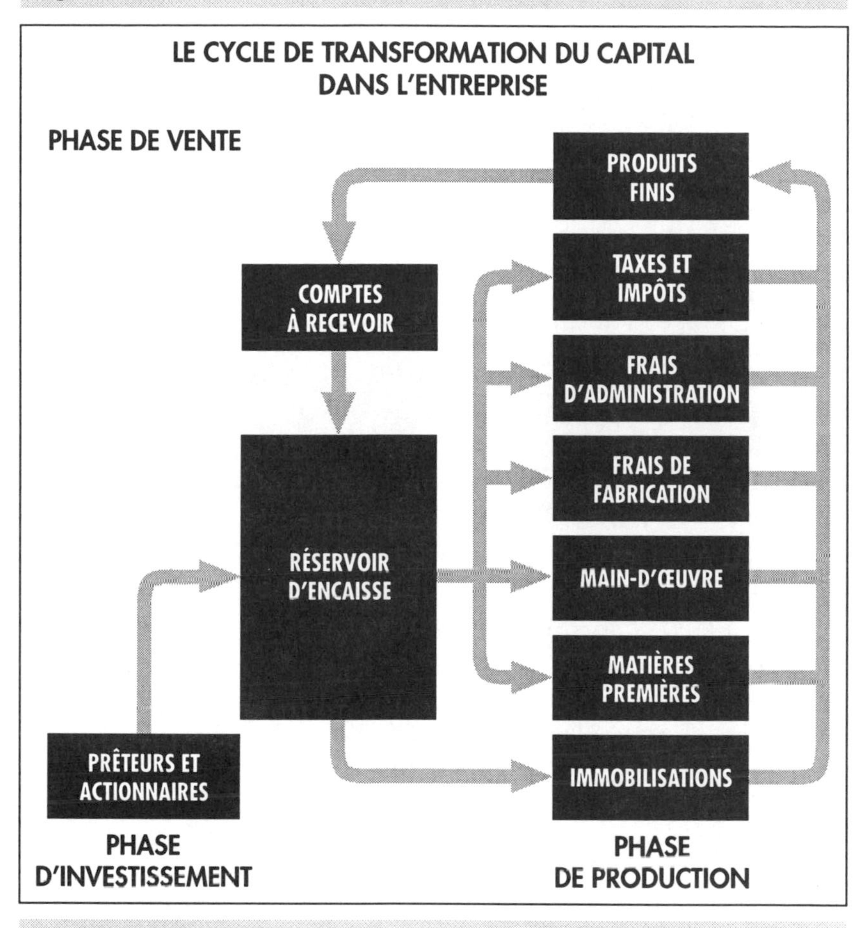

partie du capital ainsi dépensé ne pourra pas être récupérée avant plusieurs années, ce qui implique une mise de fonds à long terme. Ensuite, il faut engager du personnel, acheter des biens meubles, payer des droits, des taxes et assumer toutes les dépenses d'administration nécessaires pour passer à la phase de production.

Au terme de la phase de production, un produit ou un service peut être offert aux clients. À ce stade, il n'y a eu aucune entrée de fonds ; seuls des stocks ont été constitués. Pour tenir, il faut donc encore compter sur la réserve d'encaisse.

Vient ensuite la phase de vente. **Si une période de crédit est accordée aux clients, les ventes réalisées deviennent des comptes à recevoir. Ce n'est qu'au terme du délai de crédit que surviennent les premières entrées de fonds. Pendant ce nouveau délai, la réserve d'encaisse initiale est encore utilisée.** C'est d'ailleurs une difficulté souvent rencontrée par les entrepreneurs que de sous-estimer ces délais ou de les ignorer carrément dans leur planification. Ils se retrouvent alors sans liquidités et doivent attendre les paiements de leurs clients avant de poursuivre la production. Lorsque cela arrive, ils comprennent ce que signifie l'expression « investir dans le fonds de roulement ».

Au terme des phases de production et de vente, la réserve d'encaisse initiale aura servi à constituer des stocks et des comptes à recevoir, soit la plus grande partie du fonds de roulement de l'entreprise. L'investissement requis pour constituer le fonds de roulement brut est donc d'autant plus important que les délais imposés par les phases de production et de vente sont longs. Lorsque l'entreprise deviendra rentable, les entrées de fonds générées par les ventes seront suffisantes pour poursuivre la production. On pourra alors considérer que la phase de démarrage, au cours de laquelle l'apport de capitaux externes est primordial, est terminée.

Pour une entreprise déjà lancée, l'augmentation des ventes aura un impact similaire sur le fonds de roulement. En raison des mêmes délais, les stocks et les comptes à recevoir augmenteront à leur tour, nécessitant un financement supplémentaire. Pour répondre aux besoins d'un nouveau client important, il faut en effet augmenter la production et engager des frais supplémentaires avant même de recevoir un premier paiement, surtout si un délai de crédit lui a été accordé. À cet égard, la capacité de financement peut parfois limiter la croissance des ventes, particulièrement chez les entreprises qui ont difficilement accès au financement externe. Les entreprises dont les ventes sont cycliques verront aussi augmenter leurs actifs à court terme (et leurs besoins de financement) lorsque les périodes de pointe surviendront. Cette augmentation sera toutefois temporaire et pourra faire l'objet d'un financement lui aussi temporaire.

Pour réduire les besoins de financement, une des méthodes propres à la gestion du fonds de roulement consiste à réduire les délais du cycle de transformation du capital. Lorsqu'on y parvient, on accélère l'entrée des fonds et on diminue par le fait même les besoins de financement. Les délais de recouvrement des comptes à recevoir, de fabrication, d'expédition et de facturation peuvent être avantageusement raccourcis. Même si dans la plupart des cas la réduction d'un délai occasionne certains coûts (nouvelles installations, nouveau matériel, personnel supplémentaire, etc.), ceux-ci peuvent être compensés par la valeur des fonds transformés et par l'économie réalisée sur les coûts de financement. De fait, pour gérer efficacement son fonds de roulement, c'est d'abord sur les délais qu'il faut concentrer ses efforts. Il faut chercher à en réduire certains et à en allonger d'autres.

Les délais qu'on appelle « objectifs » représentent des contraintes sur lesquelles le gestionnaire n'a pas de contrôle. Par exemple, le délai de livraison postale, qui retarde la réception des chèques, est indépendant de la volonté du gestionnaire. L'utilisation d'autres moyens de perception, comme les paiements préautorisés, peut réduire ce délai. Ces délais dits « subjectifs » dépendent d'une décision du gestionnaire. Par exemple, l'octroi d'un délai de crédit aux clients entraîne un gel du capital de l'entreprise dans les comptes à recevoir. Il en va de même pour l'achat en grande quantité de matière première qui, s'il permet un escompte, immobilise cependant le capital de l'entreprise dans les stocks.

Figure 1.2

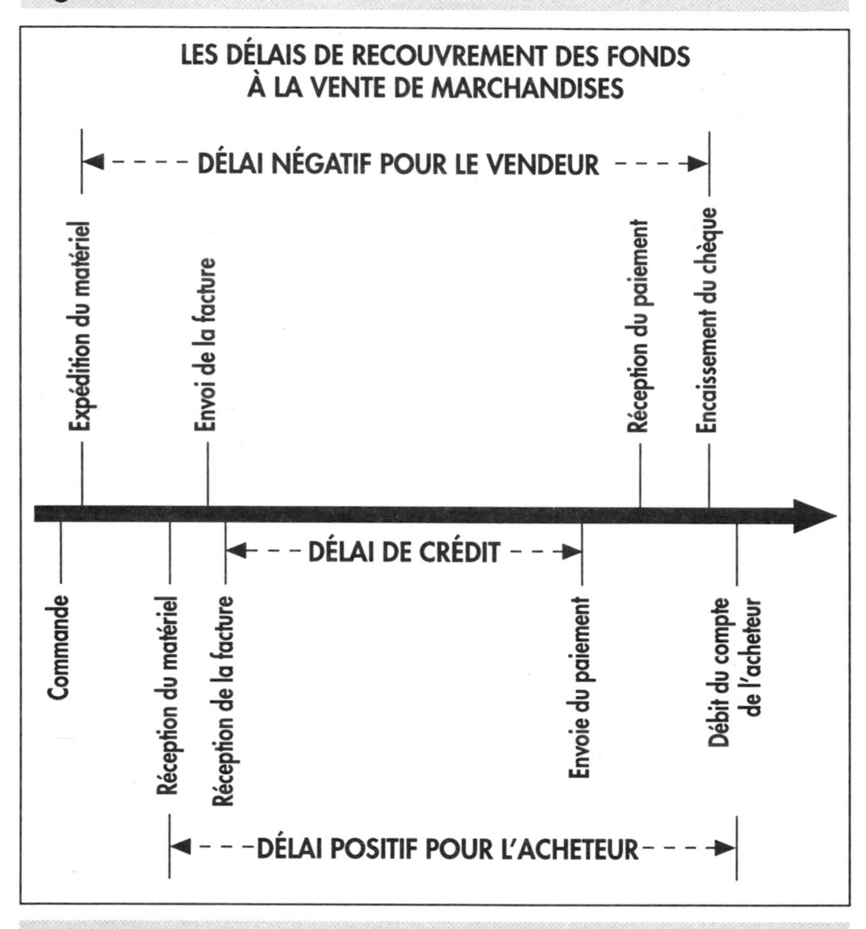

La figure 1.2 montre les délais typiques qu'occasionne la vente de matériel par une entreprise de fabrication. On y reconnaît le délai de facturation, le délai postal, le délai de crédit, le délai d'expédition et le délai de compensation des chèques. Ce diagramme introduit également les notions de délai « négatif » pour le vendeur et de délai « positif » pour l'acheteur. Tout au long du délai négatif, le matériel a quitté l'usine sans qu'aucune entrée de fonds n'ait été réalisée. Son coût doit donc être supporté par le fonds de roulement. L'entreprise vendeuse cherchera naturellement à réduire ce délai. Par contre, le délai positif favorise l'acheteur, qui jouit de l'usage du matériel pendant un certain temps avant d'avoir à le payer. Il cherchera donc à allonger ce délai, qui lui permet de réduire ses propres besoins de financement.

Comme le délai négatif du vendeur correspond à peu près au délai positif de l'acheteur, sa réduction a des effets positifs pour le vendeur et des effets négatifs pour l'acheteur. Il faut tenir compte de cela lors de la prise de décisions. Par exemple, pour réduire le délai négatif (et donc son fonds de roulement naturel), une entreprise pourrait chercher à convaincre un client d'acquitter plus rapidement ses paiements. Cela aura pour conséquence de réduire le délai positif de son client, ce qu'il ne souhaite évidemment pas. Pour le convaincre, il faudra peut-être lui accorder un escompte pour paiement rapide ou une autre forme de compensation.

COMMENT FINANCE-T-ON LE FONDS DE ROULEMENT ?

Il existe un principe de financement qui se rapporte au fonds de roulement naturel. On le comprend facilement lorsqu'on transforme l'équation fondamentale du bilan (actif égal passif plus avoir) pour obtenir une nouvelle égalité. L'équation ci-dessous montre que le fonds de roulement naturel fait partie du financement d'une entreprise. En effet, il est très rare que les comptes à payer et les autres exigibilités permettent de financer intégralement l'actif à court terme. Nous aurions alors un fonds de roulement naturel nul. L'entreprise doit donc trouver le capital nécessaire pour financer son fonds de roulement naturel et ses immobilisations.

Fonds de roulement naturel + Immobilisations	=	Emprunts à court terme + Emprunts à long terme + Avoir des actionnaires

La figure 1.3 illustre la façon la plus courante de financer une entreprise. Il y a deux éléments à financer, le fonds de roulement naturel et les immobilisations. Pour cela, trois sources sont possibles : l'avoir des actionnaires, les emprunts à long terme et les emprunts à court terme.

Le montant total des emprunts à long terme est habituellement inférieur à la valeur des immobilisations offertes en garantie. Par exemple, des immobilisations de 300 000 $ pourraient garantir un emprunt à long terme de 200 000 $. **Les emprunts à long terme ne permettent donc pas de financer le fonds de roulement naturel.**

L'entreprise doit faire appel aux institutions financières pour financer à court terme une partie ou la totalité de son fonds de roulement naturel. Par exemple, un emprunt à court terme de 25 000 $ peut financer en partie un fonds de roulement naturel de 100 000 $. L'avoir des actionnaires de 175 000 $ permet de financer le reste du fonds de roulement naturel, soit 75 000 $, ainsi que les 100 000 $ manquant des immobilisations.

L'équation ci-dessus et la figure 1.3 montrent aussi que la gestion du fonds de roulement n'est pas isolée du processus de planification à long terme de l'entreprise et que cette gestion a un impact direct sur les besoins de financement à long terme. Lorsqu'il faut augmenter le fonds de roulement naturel, le besoin de financement qui en résulte oblige une réduction des besoins de financement pour la modernisation ou le remplacement des immobilisations. Si, au contraire, le fonds de roulement naturel diminue, des sommes se trouvent libérées et peuvent être affectées à l'investissement dans les immobilisations, au remboursement d'un emprunt ou au versement de dividendes.

Depuis quelques années, de grosses entreprises comme Quaker, American Standard et General Electric ont dégagé d'importantes sommes en réduisant leur fonds de roulement. Bien souvent, cela implique des modifications en profondeur des méthodes de gestion et de travail. Les sommes récupérées peuvent cependant permettre de mener avec succès des opérations d'expansion ou de réduction de la dette.

Il est possible de limiter la mise de fonds des actionnaires en finançant une plus grande partie du fonds de roulement naturel avec des emprunts à court terme. Toutefois, pousser trop loin ce principe réduit la marge de manœuvre de l'entreprise, qui doit utiliser au maximum sa marge de crédit. Cela pourrait compromettre la réalisation de nouveaux projets ou l'acceptation

Figure 1.3

LE FINANCEMENT DU FONDS DE ROULEMENT NATUREL ET DES IMMOBILISATIONS

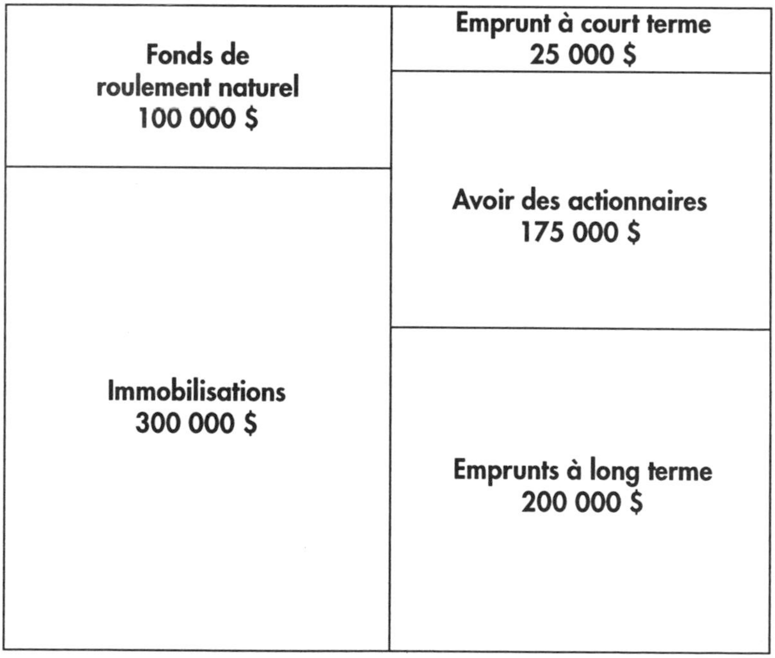

Fonds de roulement naturel 100 000 $	**Emprunt à court terme 25 000 $**
	Avoir des actionnaires 175 000 $
Immobilisations 300 000 $	**Emprunts à long terme 200 000 $**

de nouvelles commandes, parce que l'entreprise ne parviendrait pas à financer les besoins de capitaux qui en résultent. Rien n'est moins utile qu'une marge de crédit utilisée à son maximum depuis plusieurs mois. On ne peut même plus l'appeler une marge !

La situation illustrée par la figure 1.3 s'applique à toutes les entreprises, qu'elles soient dans le domaine de la vente au détail, des services ou dans le secteur manufacturier. Seul la composition des actifs change. Une entreprise de vente au détail pourrait avoir des immobilisations moins importantes, mais ses stocks de produits finis seront relativement plus importants que ceux d'une entreprise manufacturière. Pour une entreprise de service, ce sont plutôt les comptes à recevoir qui constituent le fonds de roulement. Les sources de financement sont cependant les mêmes pour les trois types d'entreprise. Les propriétaires ont donc les mêmes choix à faire pour financer leur entreprise.

CONCLUSION

À la lumière de ce que l'on vient de décrire, on peut fixer deux grands objectifs à la gestion du fonds de roulement :

1. **chercher à réduire les besoins de capitaux consacrés au fonds de roulement de l'entreprise ;**
2. **assurer à l'entreprise une liquidité suffisante pour faciliter ses opérations courantes.**

Le premier objectif met l'accent sur la valeur des capitaux investis dans le fonds de roulement. Pour le réaliser, des méthodes de contrôle doivent être mises en place pour éviter les investissements improductifs qui minent la rentabilité globale de l'entreprise. Par exemple, il faut éviter de conserver des stocks désuets. Le maintien d'un fonds de roulement aussi bas que possible est en accord avec cet objectif.

Le second objectif touche à la liquidité. Personne ne nie la nécessité de verser leur salaire aux employés et de payer les fournisseurs ni n'ignore les conséquences immédiates qui se produiraient si on y manquait. Il faut donc maintenir une encaisse suffisante. On peut aussi diminuer la fréquence des ruptures de stocks ou des arrêts de production en augmentant les quantités en stock. Le maintien d'un fonds de roulement aussi élevé que possible est en accord avec cet objectif.

La poursuite simultanée de ces deux objectifs est donc contradictoire. Par exemple, un inventaire bas augmente la rentabilité (en pourcentage) des fonds investis, mais expose l'entreprise à des ruptures de stocks plus fréquentes. Ainsi, un concessionnaire d'automobiles peut souhaiter limiter son stock de véhicules neufs pour réduire ses besoins de financement. Toutefois, cela peut lui faire perdre des ventes en fin d'année. La recherche du juste équilibre est le plus souvent une question de jugement et d'expérience.

BIBLIOGRAPHIE

Beranek, W., *Working Capital Management*, Wadsworth Publishing Company Inc., Belmont (Californie), 1966.

Fortin, R., *Guide de la gestion du fonds de roulement*, Éditions G. Vermette inc., Boucherville, 1989.

Hartgraves, A.L. et Tuthill, W.C., « How Cash Flow Reporting Should Be Changed », *Management Accounting*, avril 1986, p. 41 à 45.

Howard, L.R., *Working Capital, its Management and Control*, MacDonald and Evans Ltd., New York, 1971.

Khoury, N.T., *Gestion des disponibilités*, Presses de l'Université Laval, Québec, 1975.

Mehta, D.R., *Working Capital Management*, Prentice-Hall Inc., Englewood Cliffs (New Jersey), 1974.

Morissette, D. et O'Shaughnessy, W., *Décisions financières à court terme*, Les Éditions SMG, Trois-Rivières, 1990.

Ramamoorthy, V.E., *Working Capital Management*, Institute of Financial Management Research, Madras (Inde), 1976.

Smith, K.V., *Guide to Working Capital Management*, McGraw-Hill Finance Guide Series, McGraw-Hill, New York, 1979.

Smith, K.V. (éd.), *Readings on the Management of Working Capital*, 2e éd., West Publishing Co., St. Paul (Minnesota), 1980.

Stancill, J. McN. fils, *The Management of Working Capital*, University of Southern California Press, Los Angeles, 1970.

Van Horne, J.C., *Gestion et politique financière*, tome 2, chap. 15, Dunod, Paris, 1973.

Vander Weide, J.H. et Maier, S.F., *Managing Corporate Liquidity : An Introduction to Working Capital Management*, John Wiley and Sons, New York, 1985.

Wilson, F.C., *Short-Term Financial Management*, Dow-Jones-Irwin, Homewood (Illinois), 1975.

CHAPITRE 2

LA GESTION DE L'ENCAISSE

Le plus souvent, lorsqu'on parle de gestion de l'encaisse dans une organisation, on évoque les conséquences possibles d'une insuffisance d'argent liquide. Certains paiements échus pourraient être retardés, ce qui occasionnerait des pénalités. Les escomptes accordés pour paiement rapide des factures pourraient être perdus. Certains remboursements sur la dette pourraient être retardés, entachant la réputation de solvabilité de l'entreprise. Tous ces inconvénients sont perçus comme une mauvaise gestion de l'encaisse, les dirigeants ayant sous-estimé les besoins d'argent liquide. On convient facilement que l'insuffisance d'argent liquide peut coûter cher à l'entreprise. Cependant, on néglige les conséquences tout aussi néfastes d'une surestimation des besoins de liquidité.

Un surplus d'argent liquide occasionne une perte de rendement sur des fonds qui pourraient être utilisés autrement. En fait, l'encaisse doit être considérée comme tous les autres actifs de l'entreprise et doit contribuer à sa rentabilité au même titre. L'accumulation de fonds inutilisés dans un compte de banque devrait, comme le feraient des stocks trop importants, inspirer des doutes sur la bonne gestion de l'entreprise. Ces excédents pourraient être avantageusement utilisés à d'autres fins (remboursement de la dette, paiement de dividendes, remplacement du matériel, etc.). Un certain volume d'encaisse facilite sûrement la vie des dirigeants, mais l'accumulation d'un encaisse trop élevé crée un excédent qui ne rapporte pas beaucoup.

FAITS HISTORIQUES SUR LA GESTION DE L'ENCAISSE

L'intérêt pour la gestion de l'encaisse a commencé aux États-Unis dans les années 50 avec la hausse des taux d'intérêt. Avant 1950, les taux d'intérêt à court terme dépassaient rarement la barre du 1 %. Ceux-ci ont amorcé par la suite une hausse qui les a menés, en 1980, vers des sommets dépassant 17 % au Canada et 15 % aux États-Unis. L'entière liberté accordée au Federal Reserve System dans ses opérations sur le marché libre et la restauration de la convertibilité du dollar américain avec les monnaies européennes sont à l'origine de cette hausse. Depuis 1980, les taux subissent des fluctuations parfois assez rapides, que ce soit à la hausse ou à la baisse, mais demeurent nettement au-dessus de la barre du 1 %. La figure 2.1 montre l'évolution des taux d'intérêt à court terme au Canada de 1934 à 1994. Les taux canadiens et les taux américains suivent les mêmes tendances.

Flairant l'occasion d'améliorer leur rendement avec des placements à taux avantageux, les entreprises sont devenues très actives sur les marchés financiers à court terme, et l'idée de mobiliser des sommes pour investir est devenue très populaire. Au départ, les grandes banques étaient réticentes à effectuer un travail aussi administratif. Cependant, les petites banques régionales y ont vu un créneau intéressant pour développer leur clientèle corporative.

L'intérêt pour la gestion de l'encaisse a donc été soutenu par les mouvements brusques dans l'évolution des taux d'intérêt. Lorsque les taux grimpent, les entre-

Figure 2.1

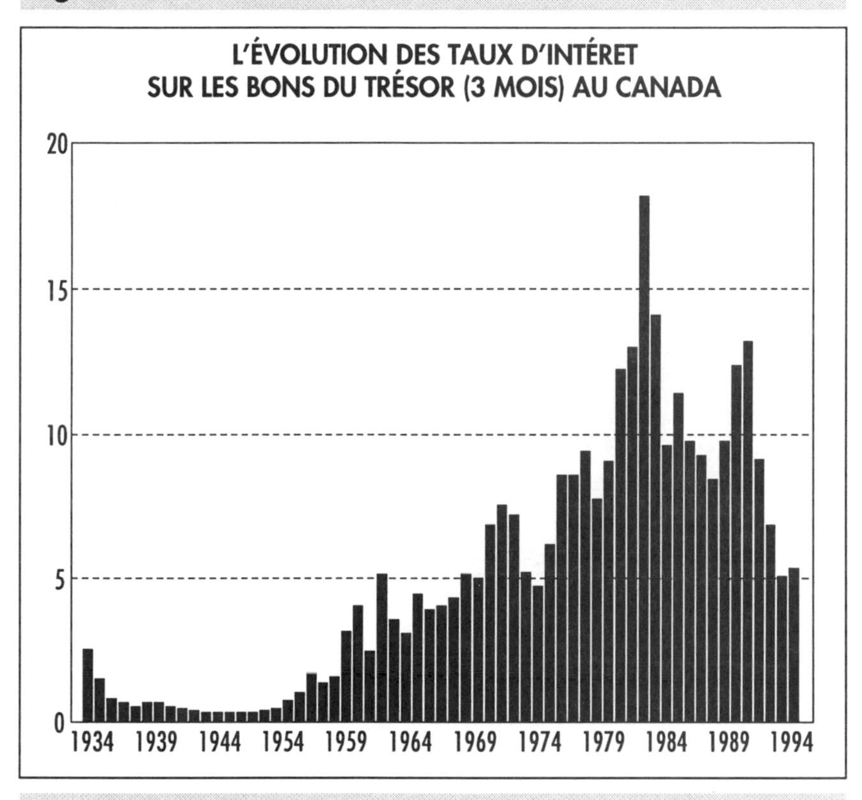

prises accordent plus d'importance aux fonds générés de façon interne, et seule une gestion efficace de l'encaisse permet de réduire leurs besoins de capitaux à long terme. Même si on a assisté à quelques périodes où les taux ont baissé, les entreprises ont continué à manifester de l'intérêt pour la gestion de l'encaisse. Elles s'étaient aperçues que leurs efforts généraient des entrées d'argent et des profits substantiels.

Le Canada a connu la même évolution. Plusieurs services de gestion de l'encaisse sont maintenant offerts par les institutions financières. Ainsi, il est possible de centraliser et d'utiliser le même jour des fonds provenant de succursales bancaires situées partout au Canada. Les paiements autorisés d'avance (ou préautorisés) sont devenus une pratique courante. Le paiement direct, par l'entremise de cartes de débit, devient rapidement une habitude et contribue à réduire l'utilisation des chèques et de l'argent liquide. Les entreprises peuvent confier aux banques l'émission des chèques de paie de leurs employés. Grâce aux dépôts directs, elles évitent la manipulation d'un grand nombre de chèques tout en planifiant mieux leurs sorties de fonds.

On se dirige de plus en plus vers l'utilisation des transferts électroniques de fonds. Déjà, une entreprise peut effectuer des transactions bancaires à partir d'un terminal situé dans ses bureaux et relié directement à son institution financière. On peut prévoir qu'avec l'évolution rapide de la technologie de communication, ce service deviendra bientôt accessible aux individus. Nous traiterons en détail de tous ces services dans ce chapitre.

POURQUOI GARDER DES LIQUIDITÉS ?

Avant d'aborder les techniques de gestion de l'encaisse, il faut connaître les motifs pour lesquels les organisations gardent des liquidités.

Une entreprise effectue de nombreux paiements, le plus souvent par chèque, pour ses achats de marchandises, les salaires, les taxes, les dividendes, les dépenses administratives, etc. Pour que les chèques émis soient honorés, l'entreprise doit disposer d'un certain montant d'encaisse. C'est ce qu'on appelle les liquidités maintenues pour **motif de transaction**.

Comme la date exacte d'encaissement d'un chèque en circulation n'est pas connue, l'entreprise doit maintenir un montant d'encaisse supplémentaire au cas où d'importantes sommes seraient exigées rapidement ou en même temps. Cette incertitude crée un besoin de liquidité pour **motif de sécurité**. Plus les entrées et les sorties de fonds sont faciles à prévoir, moins grand est le besoin de liquidité pour motif de sécurité. Les marges de crédit peuvent servir à combler ce besoin.

Certaines entreprises maintiennent des réserves pour parer à d'autres éventualités moins fréquentes. Par exemple, l'auto-assurance, qui consiste pour l'entreprise à assumer elle-même certains risques assurables, comme un parc de camions. Ces situations nécessitent aussi la constitution de réserves de liquidités pour motif de sécurité. Ces réserves spéciales peuvent être gardées sous forme de placement à court terme.

Occasionnellement, les entreprises choisissent de constituer une réserve de liquidité supplémentaire pour pouvoir effectuer un placement en temps opportun. Ce placement peut être un bloc d'actions, un immeuble, un stock de liquidation ou même une entreprise concurrente. Ces entreprises détiennent alors des liquidités pour **motif de spéculation**. On peut dire que de telles décisions relèvent du plan à long terme de l'entreprise. On devrait d'ailleurs faire une distinction claire entre les différentes réserves d'encaisse afin d'éviter, par exemple, de compromettre une stratégie d'acquisition parce que les réserves constituées à cette fin doivent servir ailleurs.

Même si la réduction de l'encaisse entraîne une économie, on ne peut pas exploiter l'entreprise sans un certain volume d'encaisse. De plus, le réinvestissement des surplus de liquidité n'est pas toujours rentable. Lorsque l'investissement d'un surplus de liquidité est de courte durée, les intérêts attendus peuvent être inférieurs aux coûts de la transaction (frais de service, commissions, temps du personnel, etc.). Un surplus d'encaisse est alors préférable à un investissement de courte durée.

Il est difficile de déterminer ce que devrait être l'encaisse minimum pour une entreprise. Cela dépend non seulement de la taille et de la nature des affaires de chacune, mais aussi en grande partie des fluctuations des encaissements et des déboursements. Lorsque c'est possible, un appariement des encaissements et des déboursements peut réduire les besoins d'encaisse. Plusieurs ménages l'ont compris et remboursent leur hypothèque résidentielle par des paiements hebdomadaires ou bihebdomadaires qui correspondent avec le versement de leurs salaires. Ils réduisent ainsi leur solde bancaire inutilisé, tout en réalisant des économies d'intérêt.

« LE TEMPS, C'EST DE L'ARGENT »

Voici un adage qui prend tout son sens lorsqu'on gère l'encaisse d'une entreprise. Nous avons déjà parlé, au chapitre 1, de l'impact des délais sur les besoins de liquidité. Nous avons vu que ceux-ci déterminent la taille du fonds de roulement. Plus les délais sont longs, plus il faut maintenir d'argent dans le fonds de roulement. Par conséquent, si on réduisait le délai d'encaissement des ventes, le fonds de roulement devrait diminuer. Cela devrait même libérer des liquidités, à la suite d'une diminution des comptes à recevoir. Allonger le délai de règlement des dépenses permet également de libérer des liquidités, à la suite d'une augmentation des comptes à payer ou des autres exigibilités.

Les liquidités ainsi récupérées peuvent être investies et rapporter de l'intérêt. C'est pourquoi on peut dire que « le temps, c'est de l'argent ». On peut même attribuer une valeur pécuniaire à un délai en faisant le calcul suivant :

$$\text{Valeur pécuniaire du délai} = \text{Montant des fonds en attente} \times \text{Coût d'opportunité des fonds} \times \frac{\text{Durée du délai en jours}}{\text{365 jours}}$$

À titre d'exemple, supposons qu'une entreprise soit en mesure d'investir 15 000 $ au taux de 13 % par année. Une facture de 5 000 $ dont le paiement arrive 30 jours en retard impose un délai à l'entreprise. Puisque le montant de 5 000 $ n'est pas disponible au moment où l'entreprise voudrait l'investir, elle perd donc un mois d'intérêt sur 5 000 $. C'est la valeur pécuniaire du délai. On pourrait dire qu'en acceptant ce retard, l'entreprise fait un cadeau de 53,42 $ à son client.

$$\text{Valeur pécuniaire du délai} = 5\,000\ \$ \times 13\ \% \times \frac{30\ \text{jours}}{365\ \text{jours}} = 53{,}42\ \$$$

Ce résultat peut aider les dirigeants à adopter des mesures correctives. Si une visite chez le client arrive à le convaincre d'accélérer son paiement de 30 jours, mais qu'une telle visite coûte 75 $, en frais de déplacement et en temps, il vaudrait mieux chercher d'autres solutions. Imposer des frais d'intérêt au client pourrait être envisagé, afin de préserver la marge bénéficiaire de l'entreprise. Évidemment, il faut avant tout éviter la perte d'un client. Une approche constructive consiste justement à expliquer au client le coût réel que représente un délai supplémentaire pour l'entreprise et à lui montrer que cela mérite une compensation. Une lettre suffit généralement.

ACCÉLÉRER LA FACTURATION ET L'ENCAISSEMENT

Le système de facturation et d'encaissement de l'entreprise est à l'origine de nombreux délais, mais c'est le délai de crédit qui est habituellement le plus long. Il faut cependant le considérer comme un délai productif, car il rend les produits et services de l'entreprise plus concurrentiels sur le marché. Nous traiterons de la politique de crédit au prochain chapitre.

Entre le moment où un client passe une commande et celui où son paiement est encaissé, la responsabilité de la transaction peut passer par plusieurs unités de l'entreprise, dont les services de production, de vente, d'expédition, d'entreposage, de facturation et de perception. Des délais dans la facturation ou dans l'expédition peuvent retarder l'entrée des fonds et augmenter les besoins de liquidité de l'entreprise. Souvent, une amélioration des méthodes de travail suffit pour réduire ces délais sans altérer le service offert à la clientèle ni exiger d'investissements considérables. Par exemple, le délai entre l'expédition du matériel et l'envoi de la facture peut être réduit grâce à une meilleure coordination entre les deux services. **Envoyer la facture en même temps que le matériel est d'ailleurs la solution la plus efficace.**

Lorsque la facture arrive chez le client, c'est le délai de crédit qui commence. Vient ensuite le délai qui s'écoule entre l'expédition du chèque par le client et son encaissement par l'entreprise. L'utilisation du paiement direct, le paiement des factures aux succursales ou aux guichets automatiques des institutions financières, les paiements préautorisés, la facturation à l'avance, la perception par boîte postale et la perception par les vendeurs sont autant de moyens utilisés pour réduire les délais d'encaissement.

Le paiement direct

Les consommateurs utilisent de plus en plus les cartes de crédit et de débit pour régler leurs achats. Le paiement direct offre aussi de nombreux avantages aux entreprises. Il accélère l'entrée des fonds, puisque le montant global des transactions d'achat est déposé quotidiennement au compte de l'entreprise. Il réduit les coûts de fonctionnement, en réduisant la manutention et la vérification des effets de paiement. En réduisant la quantité d'argent liquide au point de vente, il aide à diminuer les risques de vol. En réduisant le nombre des chèques, il prévient le retour de chèques sans provision. De plus l'entreprise diminue ses frais bancaires en réduisant la fréquence des dépôts d'argent liquide, une activité pour laquelle les institutions financières exigent des frais importants.

Pour toutes ces raisons, plusieurs entreprises permettent à leurs clients de retirer un montant d'argent de leur compte pour payer leurs achats. Pour l'entreprise, c'est une façon de déposer de l'argent à son compte sans passer par la banque. La location d'un terminal pour paiement direct coûte entre 35 $ et 50 $ par mois. Certaines institutions financières exigent des frais mensuels moins élevés, mais ajoutent des frais qui peuvent atteindre 0,15 $ par transaction.

Le paiement aux succursales ou aux guichets des institutions financières

Plusieurs entreprises encouragent leurs clients à payer leurs comptes dans les succursales ou aux guichets automatiques des institutions financières. Celles-ci se chargent de virer les fonds au compte de l'entreprise, généralement le même jour, puis acheminent un relevé des comptes reçus. Des arrangements peuvent être pris avec une seule ou avec plusieurs institutions. Habituellement, les coûts de ce service sont assumés en grande partie par les clients (au début de 1995, il en coûtait environ 1,25 $ par transaction). Ces derniers acceptent facilement des frais comparables au coût d'un envoi postal et à l'émission d'un chèque et se prévalent de ce service en raison de sa commodité.

Du côté des entreprises, ce service élimine les délais postaux et réduit les délais de manipulation et d'encaissement des chèques. Les plus grands utilisateurs de ce service sont les gouvernements, les compagnies pétrolières et les entreprises de services publics (câblodistribution, téléphone, électricité, etc.). Les frais exigés à l'entreprise par les institutions financières sont souvent négociables.

Les retraits autorisés d'avance ou les retraits préautorisés

D'autres entreprises demandent à leurs clients d'accepter les retraits préautorisés sur leur compte. Le principal avantage des paiements préautorisés est de réduire considérablement les tâches reliées à la gestion des comptes à recevoir. Les délais d'encaissement sont aussi moins longs et le risque de mauvaises créances diminue. Cette méthode est courante pour les remboursements d'emprunts réguliers, le paiement des primes d'assurance et le paiement des factures des compagnies de services publics. Des organismes de charité et même des partis politiques ont vu dans les paiements préautorisés un moyen d'augmenter les contributions qu'elles reçoivent : il est plus facile de convaincre quelqu'un de donner 5 $ par mois que de lui demander de verser 60 $ d'un seul coup.

Les retraits préautorisés portent généralement sur une série de paiements égaux et consécutifs, mais les paiements variables sont aussi acceptés. Les clients sont habituellement réceptifs à cette forme de paiement. Ils évitent les frais postaux, n'ont pas besoin de se rendre à la banque pour effectuer leurs paiements et n'ont pas à craindre d'être de retard dans leurs versements s'ils doivent s'absenter pour une longue période. Les frais pour l'entreprise varient entre 0,06 $ et 0,25 $ par transaction. Ce service est gratuit pour les clients.

Les services de retraits préautorisés et de paiements aux succursales ne sont pas réservés aux grandes organisations. Ils peuvent maintenant être utilisés à profit par de petites entreprises, lorsque leurs activités s'y prêtent. C'est le cas pour de petites entreprises de service qui facturent à intervalles réguliers (systèmes d'alarme, location de bacs roulants, entretien paysager, clubs sportifs, etc.).

La facturation à l'avance

Au début des années 80, certaines entreprises de services publics ont obtenu, des organismes de surveillance qui les régissent, la permission d'effectuer une facturation à l'avance pour des services qui seront rendus le mois suivant. Après l'expiration du délai de crédit, la réception des chèques coïncide avec le mois où le service est rendu au client. On pourrait croire qu'une telle mesure a peu d'impact sur la marge brute d'autofinancement de l'entreprise. En effet, le montant de la facturation mensuelle moyenne ne change pas. Cependant, l'année où cette mesure entre en vigueur, ces entreprises perçoivent l'équivalent de 13 mois de ventes. Les encaissements dus aux ventes augmentent du douzième dans cette année, ce qui équivaut à 8,3 % du chiffre d'affaires annuel.

Pour Québec-Téléphone, dont les revenus pour le service local se situaient à environ 40 millions de dollars en 1980, cela représente une entrée de fonds additionnelle de 3,5 millions. Pour Bell Canada, la facturation à l'avance a généré une entrée de fonds additionnelle de plus de 125 millions. Les revenus comptables de l'entreprise ne changent pas malgré ce mois d'encaissement supplémentaire, car les comptes à recevoir sont diminués en conséquence. Voilà qui illustre bien la différence entre un revenu et un encaissement. La facturation à l'avance est cependant un privilège réservé à peu d'entreprises.

La perception par boîte postale

Le service de perception par boîte postale est offert par les banques. Un casier postal sert d'adresse de retour pour les chèques, et la responsabilité de la levée du courrier et de l'encaissement des chèques est confiée à la succursale bancaire. L'idée principale de ce système est de placer la boîte postale à proximité des clients (qui acheminent les paiements) plutôt qu'à proximité de l'entreprise (qui reçoit les paiements).

Pour les entreprises dont les clients sont répartis sur un vaste territoire, des casiers postaux situés dans plusieurs grands centres minimisent les délais de livraison postale. Par exemple, une entreprise nationale pourrait louer des casiers postaux à Halifax, Montréal, Toronto et Calgary.

Toutefois, le système postal canadien a la particularité de faire transiter une grande partie du courrier interprovincial par Toronto, ce qui incite beaucoup d'entreprises nationales à centraliser leurs opérations d'encaissement dans cette ville où les avantages tirés de la réduction des délais postaux sont réels. On compte à peu près trois jours pour la livraison postale entre les provinces autres que l'Ontario. Le délai postal moyen à l'intérieur d'une même province est d'environ deux jours. L'établissement de casiers postaux dans chaque province peut donc devenir plus coûteux que le bénéfice attendu de la réduction des délais. Tout dépend évidemment du volume d'affaires. **On peut tout de même affirmer que l'avantage d'un système de perception par boîtes postales situées dans plusieurs villes est plus grand aux États-Unis qu'au Canada.** Les institutions financières canadiennes offrent le service de boîte postale aux États-Unis pour les entreprises exportatrices.

Un autre avantage du système de perception par boîte postale est de réduire le temps de manipulation des chèques. Les employés que la banque affecte à la perception des comptes sont spécialement formés pour cette tâche, alors que les entreprises confient souvent la manipulation des chèques à du personnel ayant plusieurs autres fonctions. Sur demande, la banque peut effectuer la levée du courrier plusieurs fois par jour.

Le plus important toutefois, c'est qu'avec un tel système la priorité est accordée à l'encaissement des chèques. Dans une entreprise, on accorde généralement la priorité à la mise à jour des comptes à recevoir, le dépôt bancaire étant retardé jusqu'en fin de journée ou même parfois pendant quelques jours. En utilisant le service de perception par boîte postale, le dépôt des chèques est la première opération. Un rapport permettant la mise à jour des comptes à recevoir peut ensuite être acheminé à l'entreprise par la banque.

De petites entreprises, situées dans les régions éloignées où peu de banques sont représentées, peuvent demander à la banque située dans la ville la plus proche de lui ouvrir une boîte postale. Dès leur réception, les chèques sont encaissés par la banque. Les entreprises de sciage de bois utilisent parfois ce service au lieu d'encaisser elles-mêmes leurs chèques. Elles réduisent ainsi le délai d'encaissement des chèques de quelques jours.

La perception par les vendeurs ou les livreurs

Il est également possible, pour certaines entreprises dont le territoire de vente est régulièrement couvert par des vendeurs, de confier à ces derniers la perception des comptes. Si les directives sont scrupuleusement observées, les délais d'encaissement peuvent être réduits. Par exemple, le vendeur peut déposer les chèques dans une succursale bancaire locale. L'entreprise centralise ensuite les fonds en effectuant des virements.

CENTRALISER LES FONDS POUR LES UTILISER EFFICACEMENT

Les entreprises qui ont des bureaux en plusieurs endroits et qui doivent transférer des fonds vers le siège social gagnent à mettre en place un système de centralisation des fonds. Elles pourront ainsi utiliser ces fonds pour les diverses fins de l'entreprise tout en profitant des avantages de la réduction des délais d'encaissement.

Les dépôts intersuccursales

Pour permettre aux entreprises de centraliser rapidement leurs fonds, les institutions financières permettent les dépôts intersuccursales. Ainsi, des dépôts au compte principal de l'entreprise peuvent être effectués dans toutes les succursales de la même institution financière et lui sont crédités le jour même. Comme le réseau des succursales bancaires s'étend sur tout le territoire canadien, ce service répond aux besoins de la plupart des entreprises.

Lorsque l'institution financière avec laquelle l'entreprise transige n'est pas représentée dans une région, il est possible d'ouvrir un compte dans une autre institution pour ensuite effectuer des transferts par chèques. Pour éviter le délai de livraison par courrier, il suffit de demander aux représentants locaux d'informer le siège social par téléphone ou par télécopieur du montant des dépôts quotidiens qu'ils ont effectués. Le chèque autorisant le transfert des fonds est alors préparé par le siège social et déposé immédiatement. Si l'entreprise tient compte des heures de fermeture des banques, les fonds pourront lui être crédités dans la même journée.

Les institutions financières canadiennes ont l'habitude de mettre le jour même à la disposition de leurs clients le montant des chèques que ceux-ci déposent. Elles ne leur imposent pas de délais d'encaissement. C'est pourquoi elles s'empressent d'acheminer les chèques à travers le système de compensation pour en obtenir le plus rapidement possible le paiement par les banques des clients qui ont payé par chèque. Elles ont mis au point un système qui permet la compensation de presque tous les chèques au cours de la même journée, sur l'ensemble du territoire canadien.

L'échange des effets interbancaires est réalisé dans 51 centres régionaux de calcul vers lesquels sont acheminés, chaque soir, tous les chèques déposés dans les succursales. Ces chèques sont triés pendant la nuit et retournés aux succursales émettrices avant 10 heures le lendemain pour que les comptes des clients puissent être débités avant l'ouverture des guichets. L'encodage des chèques accélère ce traitement en permettant la reconnaissance immédiate de la succursale émettrice par un lecteur optique.

Les comptes à balance nulle

Pour mieux contrôler l'encaisse disponible dans les divers comptes bancaires de l'entreprise, il est possible d'utiliser les comptes à balance nulle. Le solde d'un compte à balance nulle est ramené à zéro à la fin de chaque journée par un virement automatique dans un compte principal. Au cours d'une journée, chaque fois que les retraits dépassent les dépôts, un transfert de fonds est fait automatiquement pour couvrir la différence. Un simple examen du compte principal permet de déterminer l'état de liquidité de l'entreprise. **Ce service bancaire permet de concentrer tous les soldes inutilisés dans un seul compte. Dans une organisation qui gère plusieurs comptes de banque, cette approche permet parfois de dégager des sommes importantes qui peuvent être investies temporairement.**

Ce service élimine aussi la nécessité de déposer un montant important dans un compte satellite en prévision du déboursement prochain d'un chèque en circulation. Les fonds nécessaires seront en effet transférés à la date la plus éloignée possible, soit celle de la présentation du chèque à la banque. Les frais exigés pour ce type de compte sont négociables. C'est le genre de services que les institutions financières offrent parfois gratuitement pour obtenir un compte.

Les services d'information bancaires

Les institutions financières offrent divers services d'information qui facilitent le travail des entreprises. Les relevés bancaires peuvent être commandés sur une base quotidienne, hebdomadaire ou mensuelle. Il est possible d'obtenir un relevé des chèques encaissés classés d'après leur numéro, ce qui facilite le travail de consolidation. Des renseignements sur le solde peuvent être accessibles par terminal chaque matin. L'entreprise peut même avoir accès à ses données bancaires de façon permanente, en se reliant par terminal à l'ordinateur de la banque. Elle peut, à partir de ce terminal, ordonner des transferts de fonds entre ses comptes. Ce service est souvent complété par des renseignements sur le marché monétaire et les taux de change. Les frais sont d'environ 20 $ par mois, par compte de banque. On assistera sûrement à l'expansion de ce type de services, qui facilitent la gestion de l'encaisse et réduisent les délais d'exécution. Plusieurs petites entreprises les utilisent déjà.

RÉDUIRE LES COÛTS LIÉS AU PAIEMENT DES DÉPENSES

Une autre préoccupation de l'entreprise est l'organisation d'un système de déboursement qui minimise les frais d'exploitation (timbres, enveloppes, manutention, etc.) et qui utilise efficacement les fonds disponibles. Un tel système doit tenir compte de la nature des paiements à faire. Certains paiements, comme les versements des salaires et des dividendes, sont réguliers et presque toujours égaux. D'autres, comme le paiement des fournisseurs, le remboursement des comptes de dépenses et les paiements de taxes et d'impôt sont moins réguliers, et les montants sont variables.

Le dépôt direct

Pour les paiements réguliers, lorsque le volume le justifie, les entreprises peuvent utiliser le service de transfert électronique de fonds, mieux connu sous le nom de **dépôt direct**. Il convient bien pour les versements de salaire. L'institution financière peut même se charger de calculer les redevances et les impôts pour chaque employé et libérer ainsi l'entreprise de cette tâche fastidieuse. Il en coûte généralement moins de 1 $ par employé, par cycle de paie pour ce service.

Les montants dus à chaque employé sont enregistrés sur une bande magnétique avec le code de sa succursale bancaire et son numéro de compte. Ils sont alors triés selon les banques vers lesquelles ils doivent être acheminés. Les banques échangent entre elles ces bandes magnétiques aux centres régionaux de compensation et, avant l'ouverture des guichets le lendemain, chacune est en mesure de créditer les comptes des employés.

Ce système présente un avantage pour les institutions financières et pour les entreprises, en éliminant beaucoup de paperasserie. L'entreprise économise aussi les frais de préparation et d'expédition des chèques. En général, les employés sont eux aussi favorables au dépôt direct, qui leur évite des déplacements.

Profiter du délai de crédit

Pour les paiements moins réguliers, comme les factures des fournisseurs, les entreprises utilisent plutôt les chèques. Il importe d'établir un système qui permet d'utiliser au maximum le délai de crédit accordé par les fournisseurs. Pour les entreprises qui exploitent plusieurs succursales, il est préférable de centraliser le paiement des factures. L'utilisation de chèques postdatés portant la date d'échéance des comptes permet de profiter au maximum du délai de crédit. Un retard du client dans l'encaissement du chèque accorde un délai supplémentaire à l'entreprise. Pour le paiement des factures, il est aussi possible de transférer des fonds entre deux corporations par virement bancaire. La banque de l'entreprise payeuse s'occupe d'effectuer le transfert de façon électronique. Cette méthode de paiement est de plus en plus utilisée.

Certaines entreprises dont les achats sont volumineux et fréquents, dans le domaine de l'alimentation, par exemple, exigent que leurs fournisseurs adoptent l'échange de données informatisées (ou EDI). Plutôt que d'acheminer par la poste, par TÉLEX ou par télécopieur les communications d'affaires, comme les bons de commande, les factures, les accusés de réception, les notes de crédit ou les notes de paiement, le fournisseur et l'acheteur mettent directement en contact leurs ordinateurs et utilisent les virements bancaires.

Enfin, certaines entreprises allongent de quelques jours leur délai de crédit en espérant que le fournisseur n'osera pas imposer de pénalités de peur de perdre son client. C'est assez souvent la réaction du fournisseur. Par contre, une telle attitude est vite démasquée et ternit l'image de l'entreprise. La négociation d'une nouvelle entente de crédit pourrait devenir plus difficile. De plus, un temps précieux est perdu à répondre aux appels téléphoniques pour justifier le retard. Malgré tout, lorsqu'un besoin exceptionnel de liquidité est ressenti, une telle solution peut être envisagée. C'est une forme de financement rapide parce qu'aucune démarche n'est requise. Mais un recours systématique à ce procédé peut avoir des conséquences coûteuses.

GÉNÉRER DES REVENUS PAR DES PLACEMENTS À COURT TERME

Pour les entreprises, investir dans des placements à court terme est considéré comme une utilisation temporaire des liquidités. Les marchés financiers mettent à leur disposition de nombreux instruments financiers qui leur permettent d'investir temporairement les excédents de liquidité. C'est une façon de rentabiliser les efforts qu'elles font pour dégager des liquidités. Le choix des échéances est très grand, et le risque est généralement faible. De plus, il est facile de liquider ces placements avant l'échéance, sans encourir de perte de rendement trop élevé.

Les caractéristiques recherchées dans un placement à court terme sont les suivantes : la **qualité**, le **rendement**, la **liquidité**, la **souplesse dans le choix de l'échéance** et la **disponibilité**.

Une des premières choses à considérer avant d'investir est la **qualité** du placement. On l'évalue par le risque que représente l'émetteur du titre. Les titres gouvernementaux sont considérés comme étant très sûrs, et les entreprises qui émettent des titres sur les marchés financiers sont généralement de grandes corporations ou des institutions financières d'envergure nationale.

Il faut aussi considérer le **rendement**. Il peut être calculé de deux façons. Les dépôts à terme offerts par les institutions financières comportent généralement un taux d'intérêt exprimé en pourcentage du capital investi. C'est la méthode la plus connue pour calculer le rendement. La plupart des autres types de placements à court terme sont vendus à escompte (bons du Trésor, dépôts à terme, certificats de dépôt garantis, etc.) ; ils ne comportent pas de taux d'intérêt. C'est la différence entre le prix payé et la valeur récupérée à l'échéance qui représente le rendement.

La facilité avec laquelle un investissement peut être converti en encaisse avant l'échéance détermine sa **liquidité**. La plupart des titres peuvent être liquidés rapidement en les vendant à un autre investisseur, c'est ce qu'on appelle un marché secondaire. Un appel téléphonique à un courtier suffit pour amorcer la vente. Par contre, certains dépôts à terme ne sont pas rachetables avant l'échéance ou ne sont pas transférables.

Avec les dépôts à terme, l'investisseur peut choisir à sa guise la durée du placement, ce qui lui donne une grande **souplesse dans le choix de l'échéance**. Le marché offre aussi un vaste choix d'échéances de placement. Certains titres sont émis avec des échéances spécifiques. C'est le cas des bons du Trésor échangeables à 91, 182 et 364 jours.

Les placements à court terme utilisés par les entreprises n'ont pas tous la même **disponibilité**. Les dépôts à terme ou les certificats de dépôt, vendus par les institutions financières sont les plus disponibles. Viennent ensuite, dans l'ordre, les bons du Trésor des gouvernements fédéral et provinciaux, les papiers commerciaux et les papiers des compagnies de finance. On pourrait ajouter à cette liste, les dépôts en monnaie étrangère, les acceptations bancaires et les obligations dont l'échéance est inférieure à un an.

LES FRAIS DE SERVICE BANCAIRES : IL FAUT COMPARER

La plupart des outils de gestion de l'encaisse décrits dans ce chapitre nécessitent l'intervention des institutions financières qui exigent des frais pour les services rendus. Habituellement, elles analysent la rentabilité de leurs comptes commerciaux en tenant compte des frais de service perçus et des revenus d'intérêt. L'investissement par les institutions financières des soldes inutilisés par leurs clients leur procure des revenus. Il y a dix ou quinze ans, cette source de revenus leur permettait d'éviter l'imposition de frais de service à leurs clients. Cela était possible parce que les entreprises laissaient parfois d'importantes sommes dans des comptes qui ne rapportaient pas d'intérêt.

Parce que les services rendus par les banques sont plus diversifiés et en raison de la compétition qu'elles se livrent, un plus grand nombre de services font aujourd'hui l'objet de frais de service. La hausse des taux d'intérêt n'est pas étrangère à ce phénomène, puisque les entreprises préfèrent investir leurs fonds excédentaires, quitte à payer des frais de service plus élevés.

Quels que soient les frais des services bancaires, les dirigeants devraient connaître les sommes perçues pour la gestion de leurs comptes. Malheureusement, les états de comptes acheminés aux clients par les institutions financières font rarement état du détail des frais de service, et peu d'entreprises vérifient ces montants. Ils présument de l'exactitude des calculs effectués et ne posent pas de questions sur les tarifs exigés pour les services qu'ils utilisent. Pourtant, il existe des écarts entre les institutions financières, comme on peut le constater au tableau 2.1.

Les entreprises devraient chercher à obtenir les services dont elles ont besoin au meilleur prix possible. Comme les institutions financières n'exigent pas toutes les mêmes frais, il est parfois avantageux de magasiner. Avec l'information du tableau 2.1, il est possible de

Tableau 2.1

LES FRAIS DE SERVICE EXIGÉS AUX ENTREPRISES PAR TROIS INSTITUTIONS FINANCIÈRES EN 1995

	Institution A	Institution B	Institution C
Dépôt ou crédit passé au compte	0,79 $	0,77 $	0,77 $
Dépôt de billets	1,90 $/1 000 $	1,40 $/1 000 $	1,45 $/1 000 $
Dépôt de pièces de monnaie	1,90 $/100 $	2,15 $/100 $	1,95 $/100 $
Dépôt par chèque	0,15 $	0,145 $	0,15 $
Encaissement d'un effet US	0 $	2 $	
Chèque refusé	20 $	19 $	19 $
Retrait ou débit passé au compte	0,79 $	0,77 $	0,77 $
Retrait de billets	1,90 $/1 000 $	0,45 $/100 billets	0,40 $/100 billets
Retrait de pièces de monnaie	1,90 $/100 $	0,16 $/rouleau	0,15 $/rouleau
Chèque visé	4,50 $	4 $	4,15 $
Opposition à un paiement	8 $	3,75 $	8 $
Virement au comptoir	5 $	5 $	0 $
Relevé de compte mensuel	3 $	0 $	2 $
Recherche de pièces justificatives	30 $/heure	30 $/heure	30 $/heure
Ouverture de dossier, marge de crédit	1/2 % minimum 100 $	1/8 % à 1/4 % minimum 125 $	1/2 % minimum 50 $
Location d'un terminal paiement direct	minimum 100 $/mois pour 5 comptes	minimum 125 $/mois pour 5 comptes	minimum 55 $/mois pour 3 comptes

comparer les institutions financières pour obtenir ses services bancaires au meilleur coût. Le résultat dépend évidemment des services choisis, qui ne sont pas les mêmes pour chaque entreprise. Un exemple de comparaison est fourni au tableau 2.2. On voit que, dans ce cas, le total des frais exigés est moins élevé pour l'institution C.

Avant de faire un choix définitif, il faut tenir compte du fait qu'une association avec une institution financière comporte habituellement les services de gestion du compte et les services de financement. Un prêt à taux préférentiel peut compenser pour des frais d'administration plus élevés. Une institution financière peut aussi offrir une réduction de ses frais pour une des raisons suivantes : le volume de transaction est élevé et permet des économies d'échelle, la banque veut obtenir un contrat d'un client prestigieux, la banque cherche à augmenter sa part de marché ou le client fait partie d'un regroupement qui obtient des réductions pour ses membres.

De façon générale, une institution financière évalue les revenus qu'elle tire d'un compte en additionnant les frais de service au total des intérêts qu'elle réalise en investissant les soldes inutilisés. Pour calculer ces revenus d'intérêt, elle utilise un taux de rendement moyen, déterminé en fonction de son taux préférentiel (par exemple, le taux de base moins deux pour cent), dont elle

Tableau 2.2

UNE COMPARAISON DES FRAIS DE SERVICE MENSUELS

		Institution A $	Institution B $	Institution C $
Dépôts	257	203	198	198
Dépôts de billets*	18 000 $	34	25	26
Dépôts de pièces*	3 200 $	61	69	62
Retraits	139	110	107	107
Relevés	2	6	0	4
Virements	8	40	40	0
Total des frais exigés		**454**	**439**	**397**

*Par exemple, les frais de service pour les dépôts sont évalués ainsi : 18 000 $ @ 1,89 $/1000 = 34 $.

soustrait les intérêts versés à l'entreprise. Ce revenu est ensuite comparé aux coûts de gestion du compte qu'elle obtient en multipliant le nombre de transactions effectuées par le coût unitaire moyen de chaque transaction. Lorsque les coûts dépassent les revenus, la banque cherche à négocier une nouvelle entente avec son client pour préserver sa marge bénéficiaire.

Un exemple très sommaire d'analyse d'un compte commercial est donné au tableau 2.3. Nous utilisons la structure tarifaire de l'institution C telle que présentée au tableau 2.1. La première partie du tableau porte sur les revenus réalisés par l'institution financière. Aux frais de service exigés du client s'ajoute une valeur attribuée à l'investissement du solde créditeur moyen. La deuxième partie du tableau porte sur les coûts de gestion du compte. Pour évaluer le coût total, l'institution financière détermine un coût unitaire pour chaque opération. Par exemple, les frais de service exigés du client pour chaque dépôt sont de 0,77 $, alors que l'institution financière estime qu'il lui en coûte 1,16 $ pour effectuer cette opération, en raison du temps que le personnel doit y consacrer. Le résultat de l'analyse indique un profit de 73 $ sur ce compte au cours de ce mois. Si le profit est supérieur aux objectifs de rentabilité fixés, ce compte commercial sera considéré comme rentable. Dans le cas contraire, l'institution cherchera à le rentabiliser en exigeant des frais de service additionnels.

Les institutions financières sont des fournisseurs de services aux entreprises. Pour un entrepreneur, connaître la façon dont ce fournisseur réalise ses frais est certainement un atout lors de négociations. Certaines entreprises préfèrent payer un tarif mensuel fixe pour tous les services qu'elles reçoivent. Dans ce cas, toutes les transactions et les services requis sont comptés pendant un certain nombre de mois pour déterminer le tarif moyen. Les mois d'échantillonnage sont choisis afin de refléter le mieux possible l'utilisation réelle des services.

Tableau 2.3

L'ANALYSE DE LA RENTABILITÉ D'UN COMPTE COMMERCIAL SUR UN MOIS				
Revenus de l'institution financière				
Solde créditeur moyen				114 440 $
Taux d'intérêt mensuel	(7 % – 2 %)/12			0,00417
Revenus mensuels d'intérêt				477 $
Dépôts	257	@	0,77 $	198 $
Dépôts de billets	18 000 $	@	1,45 $/1 000	26 $
Dépôts de pièces	3 200 $	@	1,95 $/100	62 $
Retraits	139	@	0,77 $	107 $
Relevés	2	@	2 $	4 $
Virements	8	@	0 $	0 $
Total des frais exigés				397 $
Revenu total				874 $
Coûts pour l'institution financière				
Intérêt versé au cours du mois				215 $
Dépôts	257	@	1,16 $	298 $
Dépôts de billets	18 000 $	@	3,35 $/1 000	60 $
Dépôts de pièces	3 200 $	@	4,56 $/100	146 $
Retraits	139	@	0,21 $	29 $
Relevés	2	@	3,35 $	7 $
Virements	8	@	5,76 $	46 $
Total des coûts encourus				586 $
Coût total				801 $
Profit ou déficit réalisé sur le compte				73 $

LA GESTION DE L'ENCAISSE DANS UN CONTEXTE D'ÉCHANGES INTERNATIONAUX

Il serait trop long d'analyser ici tous les enjeux du commerce international. Les PME prennent de plus en plus conscience de l'importance d'élargir les frontières de leurs activités pour étendre leur marché et demeurer à la fine pointe de la technologie. L'économie nationale en tire un grand bénéfice, puisque l'existence d'entreprises concurrentielles est à la base de la croissance économique et du soutien à l'emploi.

La gestion de l'encaisse dans un contexte d'échanges internationaux s'appuie sur les mêmes principes que dans un contexte local. Elle implique cependant des difficultés supplémentaires. Certains pays réglementent les rapatriements de capitaux. Les pratiques bancaires sont souvent différentes et peuvent dérouter des dirigeants habitués à l'efficacité du système bancaire canadien. Les systèmes de transfert de fonds et de livraison postale peuvent être lents. Enfin, les taux de change flottants et les taux d'inflation élevés dans certains pays ajoutent un élément d'incertitude dans le travail de prévision essentiel à la gestion de l'encaisse.

La première difficulté rencontrée par les dirigeants est la diversité des pratiques commerciales et bancaires à l'étranger. Dans plusieurs pays d'Europe, les banques imposent aux clients un délai supplémentaire pour compenser les services de transferts de fonds. Lorsqu'une banque reçoit d'une autre banque un chèque pour compensation, elle débite immédiatement le compte de son client mais garde les fonds pendant quelques jours avant de les transférer à la banque bénéficiaire. De la même façon, la banque bénéficiaire retient les fonds pendant quelques jours avant de créditer le compte du client qui a présenté le chèque. Cette méthode ajoute un délai d'encaissement auquel les entreprises canadiennes sont peu habituées. Au même titre que les frais de service exigés par les banques canadiennes, ces délais de compensation sont parfois négociables.

La gestion de l'encaisse dans un contexte international ne se limite pas aux mouvements d'encaisse à l'intérieur de chaque pays étranger. Il faut aussi gérer les mouvements d'encaisse entre les pays étrangers et le

Canada. Les banques canadiennes détiennent plus de 300 succursales à l'étranger et réalisent le tiers de leurs revenus à partir d'échanges internationaux. Elles offrent les services de financement des comptes clients à l'étranger, le tirage des traites en vertu de lettres de crédit, l'assurance-crédit à l'exportation, l'échange des devises, les contrats de change à terme, les encaissements d'effets de commerce extérieur et les virements bancaires internationaux.

Les banques canadiennes ont participé activement à la création d'un système de communication international utilisant des codes standardisés pour acheminer les ordres de transferts de fonds internationaux. Ce réseau, connu sous l'abréviation SWIFT (Society for Worldwide Interbank Financial Telecommunications), est devenu opérationnel en 1977. Propriété des banques, il relie plus de 750 banques dans 26 pays et s'étend actuellement à l'Extrême-Orient, au Mexique et à l'Amérique latine. Son siège social est à Bruxelles. Avant la mise en place de ce réseau, les messages devaient être fréquemment vérifiés, parce qu'ils étaient mal compris par l'une ou l'autre des banques impliquées dans la transaction. Il fallait parfois plusieurs appels pour confirmer une transaction. Les banques membres du réseau peuvent maintenant transmettre rapidement leurs ordres de transfert dans tous les pays participants.

La fluctuation des taux de change est une autre difficulté à laquelle doit faire face l'entreprise. Ce risque existe parce que l'entreprise doit utiliser la monnaie locale pour transiger à l'étranger. Pour faire des affaires en France, il faut se procurer des francs. Les factures acheminées aux clients de la filiale seront acquittées en francs, qu'il faudra convertir en dollars pour rembourser les dettes ou payer des dividendes au Canada. Les risques varient d'une entreprise à l'autre.

Une entreprise canadienne exportatrice peut voir fondre le profit espéré sur une livraison en France si la facture est payé en francs et que la valeur du franc baisse par rapport au dollar canadien pendant le délai de crédit. Aussi, lorsque c'est possible, l'exportateur exigera d'être payé en dollars canadiens, transférant ainsi le risque de fluctuation du taux de change à l'acheteur français. Autrement, il peut couvrir son risque en négociant un contrat à terme pour la vente des francs qu'il recevra plus tard. Les marchés à terme sur les devises permettent la vente ou l'achat de devises étrangères à une date future pour un prix fixé d'avance. L'exportateur évite ainsi de spéculer sur l'évolution des taux de change. Les maturités les plus fréquentes des contrats à terme sur les devises sont de 1, 2, 3, 6 et 12 mois.

Une entreprise importatrice tenue de régler une facture en dollars américains avant 60 jours peut en voir gonfler le prix si le dollar canadien perd de la valeur par rapport au dollar américain. Elle peut, pour éviter ce risque, négocier un contrat à terme pour l'achat de dollars américains à l'échéance du délai de crédit. Les institutions financières emploient des spécialistes qui peuvent expliquer aux entreprises le fonctionnement des marchés à terme. C'est à elles qu'il faut s'adresser.

Il existe d'autres situations où une entreprise est exposée aux fluctuations des taux de change. Lorsqu'une entreprise exploite une filiale à l'étranger et veut rapatrier les profits réalisés, elle peut voir diminuer la valeur en dollars canadiens de ces profits s'il advenait une dévaluation de la monnaie étrangère. Lorsque le contexte s'y prête, la filiale peut alors négocier un prêt dans le pays où elle opère. Ce prêt en monnaie étrangère sera remboursé par les profits réalisés par la filiale. Le capital emprunté sera cependant converti en dollars et investi sur les marchés financiers canadiens, produisant des revenus qui serviront à payer des dividendes. Le risque de fluctuation du taux de change est alors considérablement réduit.

Les taux d'inflation élevés observés dans certains pays peuvent également compliquer la tâche du dirigeant. Dans ces pays, la tentation est forte de retarder le plus possible le paiement des factures pour régler celles-ci avec une monnaie dépréciée. Des entreprises reconnues pour leur efficacité à développer des marchés avec une équipe de vente dynamique pourraient trouver pénible une expérience d'exportation si elles n'adaptent pas leurs politiques de crédit et de contrôle des comptes à recevoir au contexte local.

CONCLUSION

La gestion de l'encaisse touche à plusieurs activités auxquelles le personnel administratif d'une entreprise consacre beaucoup de temps. Qu'on pense, entre autres, à l'encaissement des comptes à recevoir, au paiement des factures et des salaires, à la consolidation bancaire, à l'investissement des surplus temporaires de liquidités et aux négociations avec les institutions financières. Toutes ces activités doivent être coordonnées pour assurer une utilisation efficace des fonds de l'entreprise. L'implantation de bonnes méthodes de travail est donc essentielle et constitue la principale responsabilité des dirigeants.

L'approche la plus productive consiste à rechercher une réduction des délais d'encaissement et une augmentation des délais de déboursement. La valeur pécuniaire de la modification d'un délai peut être comparée aux coûts d'implantation d'un nouveau système ou d'une nouvelle politique. Plusieurs services requis pour gérer l'encaisse d'une entreprise sont offerts par les institutions financières. Une bonne connaissance des services offerts et des relations harmonieuses avec les institutions financières constituent donc des atouts.

BIBLIOGRAPHIE

Baumol, W.J., « The Transactions Demand for Cash : An Inventory Theoretic Approach », *The Quarterly Journal of Economics*, novembre 1952, p. 543 à 546.

Crean, J.F., « Les Banques canadiennes et l'automatisation », *Le Banquier* et *La Revue IBC*, juin 1979, p. 4

à 10 ; octobre 1979, p. 12 à 21 ; décembre 1979, p. 10 à 18 ; avril 1980, p. 26 à 31 et p. 44 à 47 ; août 1980, p. 34 à 35 et p. 48 à 56 ; octobre 1980, p. 14 à 24.

Driscoll, M.C., *Cash Management : Corporate Strategies for Profit*, John Wiley and Sons, New York, 1983.

Gitman, J.G., Moses, E.A. et White, I.T., « An Assessment of Corporate Cash Management Practices », *Financial Management*, printemps 1979, p. 32 à 41.

Kuhlmann, A., *Prime Cash*, Institute of Canadian Bankers, Montréal, 1983.

Miller, M.H. et Orr, D., « A Model of the Demands for Money by Firms », *The Quarterly Journal of Economics*, août 1966, p. 413 à 435.

Osterman, W.J., « An Integrated System for Cash Management », *American Bar Association Journal*, printemps 1979, p. 54 à 57.

Sarpkaya, S., *The Money Market in Canada, How it Works... the Arrangements, Practices and Instruments*, 2e éd., Butterworths, Toronto, 1980.

Sarpkaya, S., *Modern Cash Management*, CCH Canadian Limited, Don Mills (Ontario), 1986.

Stone, B.K. et Hill, N.C., « Cash Transfer Scheduling for Efficient Cash Concentration », *Financial Management*, automne 1980, p. 35 à 43.

Stone, B.K. et Wood, R.A., « Daily Cash Forecasting : A Simple Method for Implementing the Distribution Approach », *Financial Management*, automne 1977, p. 40 à 50.

Vickson, R.G., « Simple Optimal Policy for Cash Management : The Average Balance Requirement Case », *Journal of Financial and Quantitative Analysis*, septembre 1985, p. 353 à 369.

Weston, J.F. et Goudzwaard, M.B. (éd.), *Treasurer's Handbook*, Dow-Jones-Irwin, Homewood (Illinois), 1976.

CHAPITRE 3

LA GESTION DES COMPTES À RECEVOIR

Le crédit est un outil de vente dont peu d'entreprises peuvent se passer dans leur lutte pour attirer les clients. Tout comme le prix de vente, le crédit, en raison du délai positif qu'il représente pour l'acheteur, est un facteur important lors du choix d'un fournisseur. Pour conserver sa clientèle dans une industrie où le crédit est une pratique courante, il faut accorder des conditions de crédit concurrentielles ou consentir des réductions de prix.

L'attribution d'un crédit est un élément important du service offert à la clientèle. Par exemple, lorsque les achats d'un client sont répétitifs, il est souvent plus pratique de les porter à son compte pendant une période de temps donnée, un mois par exemple, pour qu'il puisse régler le solde en un seul versement.

Ce chapitre traite d'abord des points à considérer dans l'élaboration des politiques de crédit. Les éléments d'une politique de crédit sont ensuite expliqués. Il est alors question des diverses formes de crédit, des conditions de vente, de l'analyse du crédit, de la perception des comptes et de l'affacturage. La suite du chapitre traite du contrôle de l'état des comptes à recevoir et de l'analyse financière des modifications aux politiques de crédit.

Quelques notions de gestion des comptes à payer complètent le chapitre.

ÉLABORER UNE POLITIQUE DE CRÉDIT : À QUOI FAUT-IL PENSER ?

Il faut prendre conscience qu'un capital important est requis pour supporter les comptes à recevoir. Aucune sortie de fonds directe ni aucun emprunt n'est nécessaire pour réaliser une vente à crédit, pourtant, on se rappelle que le fait de reporter à plus tard l'encaissement d'une vente représente un manque à gagner. L'argent qui serait disponible immédiatement si la vente était payée comptant ne le sera que plus tard. Pendant ce délai, il faut utiliser d'autres sources de fonds pour continuer l'exploitation de l'entreprise. L'importance de ce besoin de liquidité dépend non seulement de la valeur des ventes à crédit, mais aussi du délai qui s'écoule avant l'encaissement. Les comptes à recevoir sont deux fois plus élevés lorsque les ventes doublent. Ils sont aussi deux fois plus élevés si on accorde aux clients un délai de crédit deux fois plus long.

L'augmentation des comptes à recevoir fait donc augmenter les besoins de financement. Sans qu'on s'en rende compte, ce financement peut ronger la marge bénéficiaire d'une entreprise si le délai de crédit accordé est trop long. Par exemple, si on suppose un coût de financement annuel de 12 %, un délai de crédit de deux mois réduit d'environ 2 % la marge bénéficiaire. Imaginons pour mieux comprendre une vente de 1 000 $. Financer 1 000 $ pendant deux mois coûte 20 $ (1 000 $ × 12 % × 2/12). Si la marge bénéficiaire sur cette vente est de 5 %, c'est-à-dire 50 $, on vient de rogner 40 % de cette marge. C'est une ponction importante.

Le rôle du dirigeant est de mesurer l'impact que peuvent avoir les diverses propositions en matière de crédit sur les comptes à recevoir. Par exemple, les responsables du marketing peuvent proposer de modifier les conditions de crédit pour stimuler les ventes. L'effet de cette décision sur les comptes à recevoir et les besoins de financement est immédiat. Le coût d'opportunité des fonds investis dans les comptes à recevoir devrait faire partie intégrante de l'analyse de ces projets.

Les politiques de crédit doivent aussi s'adapter aux changements qui surviennent dans l'environnement de l'entreprise. Les stratégies des compétiteurs en matière de crédit peuvent commander des ajustements. Il faut, à l'occasion, considérer la hausse des taux d'intérêt ou les cycles économiques. La capacité d'emprunt est aussi un facteur important. Une jeune entreprise pourrait être incapable de supporter financièrement ses comptes à recevoir à cause de son accès limité au marché des capitaux et devoir restreindre l'attribution du crédit à ses clients.

LES DIFFÉRENTES FORMES DE CRÉDIT

On peut identifier trois formes de crédit. Il y a le **crédit à la consommation**, qui est accordé par les détaillants à leurs clients. Souvent, il implique l'utilisation de cartes de crédit. Il y a aussi le **crédit à compte ouvert**, utilisé surtout lorsqu'une entreprise vend de façon régulière à un client. Le client peut alors « porter à son compte » les achats qu'il effectue, ce qui lui évite de payer chaque fois. Enfin, pour des transactions spécifiques avec un client moins connu ou pour le commerce international, il y a le **crédit officialisé par des lettres de crédit commercial**.

Les cartes de crédit

Avec l'avènement des cartes de crédit, il est devenu à peu près inutile pour un détaillant de mettre sur pied son propre système d'attribution du crédit. Il est plus pratique de permettre à ses clients d'utiliser les cartes de crédit mises sur le marché par les institutions financières. Le marchand doit encourir des frais qui varient entre 1 % et 5 % du montant des ventes pour l'utilisation de ce service. Le pourcentage exact dépend principalement du volume d'affaires. Il faut compter aussi des frais mensuels (environ 30 $) pour l'utilisation du matériel électronique de validation.

Les avantages pour le détaillant sont nombreux. D'abord, il n'a pas à attendre l'expiration du délai de crédit de son entreprise, puisque les achats réglés par carte de crédit sont encaissés immédiatement lors des dépôts quotidiens à la banque. De plus, il évite tous les frais liés à la gestion d'un système interne de crédit. L'approbation du crédit et la perception des comptes sont exécutées par la compagnie émettrice de la carte. Les risques de mauvaises créances sont éliminés.

Les frais exigés pour ce service comprennent donc le coût du financement accordé à l'acheteur et les coûts de gestion des comptes à recevoir. En réalité, le détaillant délègue la gestion des comptes à recevoir.

Le matériel nécessaire à la validation des achats par carte de crédit permet aussi l'utilisation des cartes de débit.

Le crédit à compte ouvert

Les entreprises de fabrication et les commerçants en gros ne peuvent pas toujours profiter des cartes de crédit. Elles ont donc développé leur propre système. Lorsque des ventes sont fréquemment faites à un même client, l'entreprise peut accepter que le montant de la commande soit porté automatiquement au compte de l'acheteur. Elle fixe cependant un plafond à ce crédit. Un état de compte, précisant la nature et le prix des marchandises achetées au cours de la dernière période, est acheminé au client. Les modalités de règlement y sont expliquées. Habituellement, l'acheteur se voit accorder un délai supplémentaire, calculé à partir de la date de facturation, pour effectuer son paiement.

Cette forme de crédit est la moins formelle : seule la signature au bas de la facture atteste la créance. Elle s'appuie sur la confiance existant entre fournisseurs et clients. En plus de permettre au client de profiter d'un délai de crédit, elle lui évite de nombreuses transactions sur son compte bancaire. Une entreprise qui possède un compte ouvert chez un fournisseur n'a pas à fournir d'argent liquide à ses employés chargés d'acheter en son nom ni à les autoriser à signer des chèques.

Les lettres de crédit

Lorsqu'une transaction porte sur un montant élevé, quand la cote de crédit d'un client est douteuse ou lorsqu'un client qui détient un compte ouvert réclame une prolongation du délai normal de crédit, le fournisseur peut exiger un billet à ordre. C'est en quelque sorte une reconnaissance formelle de dette, libellée à peu près comme ceci :

> Québec, le 1er juin 1995
>
> Dans trente jours, je promets de payer à l'ordre de Gazup inc.
> la somme de mille cinq cents dollars (1 500 $) pour valeur reçue.
>
> Signature : ______________________

Une telle promesse de payer élimine tout désaccord ultérieur quant à l'existence de la dette. Ce n'est pas une protection contre la faillite d'un client, mais le détenteur d'un billet à ordre aura plus de facilité à faire reconnaître sa créance.

La reconnaissance de dette peut être officialisée par une traite commerciale ou lettre de change. Le vendeur (ou tireur) tire une traite ordonnant à l'acheteur de payer et fait parvenir cette traite à la banque de son client, en même temps que les documents d'expédition. L'acheteur reconnaît sa dette en y inscrivant le mot « acceptée » et en y apposant sa signature. La banque lui transmet alors les documents d'expédition, qui lui permettent de prendre livraison des produits qu'il a achetés. La banque redonne ensuite au vendeur la lettre de change, que celui-ci peut conserver jusqu'à l'échéance, vendre à escompte à une société de crédit ou utiliser pour garantir un emprunt.

Une traite commerciale offre une bonne protection au vendeur parce que l'inaptitude d'un acheteur à honorer une traite compromet sa réputation de crédit auprès de sa banque, situation qu'il s'efforcera donc d'éviter.

Dans le commerce international, on utilise fréquemment les acceptations bancaires. Il s'agit d'une traite commerciale qui a été « acceptée » par une banque. Cette dernière se porte garante de la dette de son client. L'exportateur évite de cette façon de faire crédit à un client situé à l'étranger et qu'il connaît parfois très peu. Lorsque la banque accepte la traite, elle effectue un virement de fonds au compte de l'exportateur. En réalité, c'est elle qui fait crédit à l'acheteur. Elle peut ensuite garder l'acceptation bancaire jusqu'à l'échéance et réaliser ainsi un rendement sur son placement ou vendre son titre à escompte sur le marché monétaire, par l'intermédiaire d'un courtier en valeurs mobilières.

LES DIVERSES CONDITIONS DE VENTE

Les ventes commerciales ne sont pas toutes conclues à crédit. Lorsque des marchandises sont produites à partir des spécifications du client, le fournisseur exige parfois le règlement de la facture avant la livraison. Certaines ventes se règlent au moment et à l'endroit de la livraison. Elles sont appelées P.S.L. (paiement sur livraison) ou plus communément C.O.D. (« collect on delivery »). Parfois, des contrats prévoient des paiements au prorata des travaux. Les firmes d'experts exigent souvent deux ou trois versements à mesure que certaines étapes du contrat sont réalisées. Par exemple, le contrat peut prévoir un premier règlement de 30 % à la fin du travail d'enquête, 30 % à la remise du rapport préliminaire et 40 % à la remise du rapport final. Il arrive aussi qu'un dépôt soit exigé avant le début de la production.

Bien sûr, une entreprise réduit ses besoins de financement si elle convainc ses clients de renoncer au crédit, que ce soit en totalité ou en partie. La facturation de versements égaux accélère l'entrée d'argent et réduit les besoins de financement. C'est une approche que devrait envisager une entreprise qui vend régulièrement à certains clients des services ou des produits dont la demande est saisonnière (électricité, mazout, etc.).

Lorsque la vente implique un crédit, une grande variété d'arrangements sont possibles. Chaque industrie a développé ses propres habitudes, qui s'inspirent des particularités de son marché. Les éléments les plus courants d'une entente de crédit sont :

1. **la valeur de l'escompte pour paiement rapide ;**
2. **le délai maximal à respecter pour avoir droit à l'escompte ;**
3. **le délai maximal de crédit accordé au client.**

Si une firme vend des marchandises aux conditions de paiement « 1 %/10, net 30 », cela veut dire qu'elle accorde un escompte de 1 % aux clients qui paient dans les 10 jours et que le délai maximal de crédit est de 30 jours, après quoi des frais d'intérêt ou des pénalités pourront être imposés.

Voici d'autres expressions utilisées pour définir les termes de crédit.

- On pourrait exprimer le terme de crédit « 1 %/10, net 30 » en utilisant l'expression « 1 %/10, 20 extra », ce qui signifie que le client qui ne se prévaut pas de l'escompte en payant avant 10 jours, bénéficie d'un délai supplémentaire (extra) de 20 jours sans intérêt ou pénalité.
- Lorsque l'acheteur est éloigné et que l'expédition prend un certain temps, le délai de crédit peut être défini en fonction de la date de réception des

marchandises (R.D.M.) et non en fonction de la date de facturation, comme c'est habituellement le cas. On écrira alors « net 7, R.D.M. », ce qui veut dire que le paiement devient exigible sept jours après la réception de la marchandise. On trouve ce type d'arrangement sur le marché du sucre, par exemple.

- La facturation est souvent mensuelle. Dans ce cas, l'état de compte comprend toutes les transactions qui ont eu lieu au cours du dernier mois. On l'achemine à la fin du mois, en incluant tous les achats effectués, par exemple, depuis le 25 du mois précédent, jusqu'au 25 du mois courant. On écrira alors « 1 %/10, net 30 F.D.M. » pour indiquer que le client doit payer la facture avant le 10 du mois suivant pour bénéficier de l'escompte et que le solde devient exigible le 30 du mois suivant. Ces arrangements sont courants dans les industries du vêtement et des produits pharmaceutiques.
- On écrit parfois « 1 %/10 *proximo*, net 30 » pour désigner le terme de crédit précédent. Cela veut dire que l'escompte sera accordé si le paiement est effectué avant le 10 du mois qui vient (*proximo*). Le solde devient exigible le 30 du mois.
- Lorsque les ventes d'un produit sont saisonnières, le manufacturier peut mieux répartir sa production si ses clients passent leurs commandes hors saison. Pour les inciter à le faire, il peut offrir des conditions du genre « net 30, 1er février », qui leur permettront de payer leur facture sans frais dans les 30 jours qui suivent le 1er février. Pour les vêtements en fourrure, les jouets et certains produits agricoles, on retrouve ce type d'arrangement. Le fournisseur finance ainsi les stocks de ses clients. Mais surtout, il réduit les engorgements saisonniers en étalant sa production sur une plus longue période.

- Dans le cas de l'essence, il est courant de voir les distributeurs accorder un crédit « d'une livraison à l'autre ». Les propriétaires de stations-service effectuent le paiement d'une livraison au moment de la livraison suivante.
- Aux États-Unis, parce que les délais de livraison postale peuvent être longs et que le délai de compensation d'un chèque tiré sur une banque régionale peut être de plusieurs jours, certaines entreprises accordent l'escompte seulement si les fonds sont disponibles à échéance. Elles écriront alors les conditions de crédit de la façon suivante « 1 %/10 *good money*, net 30 ». Elles se prémunissent ainsi contre les entreprises qui cherchent à allonger les délais d'encaissement en expédiant leurs chèques à des endroits éloignés.

Plusieurs facteurs entrent en ligne de compte dans l'établissement de standards industriels en matière de crédit. Habituellement, un vendeur n'acceptera pas de financer complètement les stocks de ses clients par des délais de crédit trop longs. Il ajustera ses délais en fonction des taux de rotation des stocks et des cycles de vente, pour qu'ils n'excèdent pas le temps qu'il faut au client pour convertir ses stocks en argent liquide. Les délais de crédit sont donc plus courts pour les biens revendus rapidement et les biens périssables.

ACCORDER LE CRÉDIT : À QUI ET COMMENT ?

Déterminer à qui le crédit sera accordé est un autre élément important de la politique de crédit. Il faut obtenir de l'information sur les clients qui demandent du crédit, pour être en mesure de juger de leur solvabilité et du risque qu'ils représentent. Lorsqu'on décide de l'accorder, il faut aussi fixer une limite de crédit.

Dans l'accomplissement de cette tâche, deux difficultés peuvent survenir. La première serait d'accorder un crédit à un client qui, avec le temps, deviendrait un « mauvais client », parce que les frais de perception des comptes en souffrance dépassent le bénéfice réalisé sur les ventes. Avec le temps, on finit par identifier ces « mauvais clients » et on peut corriger le tir. La seconde difficulté serait de refuser la demande de crédit d'un « bon client ». Celui-ci s'adresserait alors à un compétiteur et l'entreprise perdrait des ventes. Ce type d'erreurs est plus difficile à corriger, puisqu'il faudrait identifier, après coup, ces « bons clients » perdus. D'ailleurs, même si on y parvenait, il est probable qu'on les aurait froissés et qu'ils hésiteraient à revenir.

Un système d'analyse de crédit ne peut éliminer complètement ces deux types de difficultés. Des stratégies excessives, comme accorder le crédit à tous ceux qui en font la demande ou la refuser à tout le monde, sont sans doute peu appropriées. Un compromis entre les deux est préférable. Il faut donc tenter de classer les demandeurs de crédit en « bons clients » ou en « mauvais clients ».

La démarche la plus élémentaire consiste à demander aux clients de remplir un formulaire de demande de crédit. Pour les particuliers et les petites entreprises enregistrées, les renseignements demandés portent surtout sur les actifs et les revenus personnels, ainsi que sur les autres créanciers (institutions financières, cartes de crédit, autres fournisseurs). Pour les entreprises incorporées, il faut aussi des renseignements sur les principaux actionnaires. Les états financiers peuvent compléter l'information. C'est à partir de cette information que la décision de crédit sera prise.

Lorsqu'il s'agit d'un client déjà connu dans le milieu, on peut accorder le crédit en fixant une limite de crédit peu élevée, quitte à l'augmenter graduellement à mesure que l'expérience avec ce client se précise. Il faut en effet se méfier du client qui reçoit une limite de crédit élevée à partir d'une série de paiements relativement modestes, puis disparaît en laissant une importante facture non réglée. Une approche plus prudente consiste à obtenir des références auprès de fournisseurs ou d'institutions financières qui ont déjà fait des affaires avec le client demandeur de crédit.

Il est aussi possible d'obtenir un rapport de solvabilité détaillé en s'adressant aux agences de renseignements de crédit (ou bureaux de crédit), maintenant regroupés au sein du réseau Équifax du Canada. Ces agences préparent des rapports d'évaluation de crédit sur les individus et les entreprises, en se basant sur leurs expériences antérieures avec des institutions financières ou des fournisseurs. Ce réseau est présent dans la plupart des grandes villes. Les services d'Équifax du Canada sont accessibles par terminal, de sorte qu'une décision de crédit peut facilement être confirmée dans la journée. Évidemment, le recours au terminal doit être justifiée par un certain volume de demandes. Si le volume est faible, on peut s'adresser aux institutions financières qui utilisent fréquemment ce service. Il existe aussi des agences d'évaluation de crédit pour les entreprises. Dun & Bradstreet est la plus importante de ces agences. Leur *Reference Book* est publié à tous les deux mois et contient des cotes de crédit. Celles-ci indiquent la valeur nette de l'entreprise et donnent une évaluation de la réputation de crédit de la firme.

Lorsque la valeur des commandes attendues d'un client éventuel le justifie, on peut faire une recherche plus approfondie en analysant les états financiers du client ou même en effectuant des entrevues. Ce type d'analyses implique cependant des coûts plus élevés et exige plus de temps.

La méthode d'analyse séquentielle vise à réduire les coûts de l'analyse de crédit. On utilise d'abord une méthode d'analyse simple et peu coûteuse. Si cette première méthode permet de porter un jugement, l'analyse est terminée. Sinon, on passe à une méthode un peu plus coûteuse et ainsi de suite jusqu'à ce qu'on puisse porter un jugement clair. Pour utiliser de façon rationnelle la méthode séquentielle, il faut comparer le coût de chaque étape avec les profits découlant des ventes au nouveau client. Il serait inutile de pousser l'analyse d'une demande de crédit jusqu'au quatrième stade si une telle analyse coûte 80 $ en temps et en efforts et que le profit s'élève à 50 $. De même, on accordera plus d'attention aux clients qui pourraient renouveler régulièrement leurs commandes qu'à ceux qui ne font qu'un achat ponctuel. La séquence pourrait ressembler à ceci :

1. **analyser la fiche de demande de crédit ;**
2. **vérifier les renseignements fournis ;**
3. **téléphoner aux fournisseurs et aux prêteurs ;**
4. **obtenir un rapport de crédit détaillé ;**
5. **analyser les états financiers ;**
6. **réaliser des entrevues et rendre visite au client.**

Les bénéfices de l'analyse de crédit sont difficilement évaluables. Idéalement, il faudrait déterminer la probabilité de défaillance. Soulignons aussi que les clients ne sont pas tous catégoriquement « bons » ou « mauvais ». Plusieurs peuvent payer constamment en retard, mais demeurer rentables pour l'entreprise, malgré les coûts supplémentaires encourus. D'autres clients, qui présentent un dossier de crédit impeccable, peuvent faire face à la faillite pour des raisons insoupçonnées. Les recettes faciles sont à éviter. La décision de crédit exige beaucoup de jugement. Retenons quand même certains éléments qui peuvent nous guider.

1. **Il faut maximiser le profit.** Le responsable du crédit ne doit pas viser à réduire à tout prix les mauvaises créances, car les contrôles mis en place auraient alors pour effet de priver l'entreprise d'une clientèle rentable.

2. **Il faut consacrer plus de temps aux comptes importants.** Lorsqu'une demande implique un petit montant, la décision doit être routinière.

Lorsqu'elle implique un montant important, il faut faire une analyse plus approfondie et chercher à obtenir de meilleures garanties de paiement.

3. **Il faut tenir compte du potentiel d'un client.** On peut risquer davantage avec un client pouvant devenir un acheteur régulier. Les accidents de parcours font partie des coûts qu'une entreprise doit encourir pour se bâtir une clientèle.

La technique de quantification de l'admissibilité au crédit

Les grandes firmes qui font affaire avec un grand nombre de clients aux comptes plutôt modestes utilisent des techniques d'analyse statistique perfectionnées pour faire l'analyse du crédit. C'est le cas des entreprises émettrices de cartes de crédit. La technique de quantification de l'admissibilité au crédit est la plus connue.

En utilisant les renseignements contenus dans les fiches d'application, on détermine l'ensemble des facteurs qui distinguent le mieux les deux groupes de clients (« bons » ou « mauvais ») et l'importance qu'il faut accorder à chacun de ces facteurs. Le tableau 3.1 donne un exemple fictif des facteurs qui pourraient être retenus et leur pondération. L'ensemble de ces facteurs permet de quantifier l'admissibilité au crédit des clients qui en font la demande.

Le tableau 3.2 montre un exemple de calcul du résultat de crédit obtenu en compilant les réponses données sur une demande de crédit. C'est à partir du résultat global qu'un client se voit accorder ou refuser le crédit. Son résultat est comparé à une note de passage, et la décision devient automatique : le crédit est accordé à tous ceux qui obtiennent un résultat supérieur à la note de passage, et il est refusé aux autres.

Il n'est pas facile de déterminer la note de passage. Plus elle est élevée, plus rares sont les clients qui

Tableau 3.1

UN EXEMPLE DES FACTEURS RETENUS PAR L'ANALYSE DISCRIMINANTE

Facteur	Façon de le mesurer	Pondération
Âge	en nombre d'années	0,4
Statut civil	marié (1), célibataire (0)	20,0
Occupation	selon la catégorie (1 à 5)	4,3
Dernier emploi	en nombre d'années	0,9
Revenu annuel brut	en 1 000 $ de revenu	0,6
Possède le téléphone	oui (1), non (0)	15,0
Dernière adresse	en nombre d'années	1,2
Résidence	propriétaire (1), locataire (0)	15,0
Possède une voiture	oui (1), non (0)	5,0

obtiennent le crédit et, du même coup, les mauvaises créances sont réduites. Lorsqu'elle est basse, le crédit est accordé à un plus grand nombre de clients, ce qui augmente la clientèle, mais aussi les mauvaises créances. Tout dépend donc de la comparaison entre les gains potentiels des nouveaux clients et les coûts des mauvaises créances.

Le système de quantification de l'admissibilité au crédit n'élimine pas les deux types d'erreurs dont nous avons parlé précédemment. Quelle que soit la note de passage, l'entreprise garde des mauvais clients et rejette des bons clients. Son principal avantage est de rendre automatique un processus d'analyse de crédit qui deviendrait vite coûteux en raison du grand nombre de demandes. Pour rendre le système plus flexible, on peut même déterminer des catégories. Par exemple, on refuse le crédit à ceux qui obtiennent un résultat inférieur à 60 et on

Tableau 3.2

UN EXEMPLE DE CALCUL DES RÉSULTATS DE CRÉDIT				
Facteur	**Réponse**		**Pondération**	**Résultat pondéré**
Âge	33 ans	(33)	0,4	13,2
Statut civil	marié	(1)	20,0	20,0
Occupation	avocat	(5)	4,3	21,5
Dernier emploi	2 ans	(2)	0,9	1,8
Revenu annuel brut	53 000 $	(53)	0,6	31,8
Possède le téléphone	oui	(1)	15,0	15,0
Dernière adresse	1 an	(1)	1,2	1,2
Résidence	propriétaire	(1)	15,0	15,0
Possède une voiture	oui	(1)	5,0	5,0
Résultat de crédit				**124,5**

l'accorde à ceux qui obtiennent un résultat supérieur à 100. Une enquête plus approfondie est effectuée pour ceux qui obtiennent entre 60 et 100.

LA PERCEPTION DES COMPTES À RECEVOIR : UNE TÂCHE DÉLICATE

Tout en élaborant des politiques pour l'attribution du crédit, les entreprises doivent préparer la procédure à suivre pour percevoir les comptes. La plupart du temps, la responsabilité des activités courantes de perception est confiée au personnel. Seuls les cas litigieux sont soumis au responsable du crédit. C'est quand même lui qui doit fournir conseil et assistance au personnel. Pour cette raison, il est utile de préciser ici la procédure. Voici les principales activités liées à la perception.

1. **Préparer le rapport des comptes à recevoir. Ce rapport comprend une liste des comptes ouverts et une classification selon l'âge des comptes à recevoir. Cette activité peut être informatisée.**
2. **Mettre à jour à intervalles réguliers la classification selon l'âge des comptes à recevoir.**
3. **Acheminer les rappels (lettres, télécopies, appels téléphoniques) aux clients dont le paiement est en retard à des intervalles précis, commençant à échéance de leur compte.**
4. **Informer les autres services de l'entreprise, des rappels acheminés à certains clients.**
5. **Fournir au responsable du crédit un état des difficultés rencontrées au cours de la dernière période et lui décrire l'évolution des principaux comptes.**
6. **Transmettre au responsable du crédit tous les cas spéciaux (contestation, faillite, renégociation des ententes de crédit, etc.).**

Dans le cours normal des activités, la plupart des comptes sont perçus sans démarches particulières, les clients étant sensibles au maintien de leur réputation de crédit. Par ailleurs, les efforts consentis pour percevoir les comptes dont le paiement est en retard doivent être considérés comme un investissement. Confier la perception d'un compte d'une valeur de 200 $ à une agence spécialisée, comme Créditel, Équifax ou le Groupe Écho par exemple, peut être un investissement peu rentable, compte tenu des coûts impliqués. Heureusement, pour récupérer un paiement en retard, il est rarement nécessaire de dépasser les premières étapes de la séquence suivante.

1re étape (jour 5) Envoyer une copie du compte avec la mention « paiement en retard » dès que l'échéance est passée.

2e étape (jour 16) Envoyer une lettre de rappel si la première démarche n'a pas porté fruit après un certain nombre de jours.

3e étape (jour 26) Téléphoner au client pour connaître les raisons de son retard et conclure des ententes verbales. Lui proposer, s'il y a lieu, de nouveaux arrangements.

4e étape (jour 40) Retirer l'autorisation de crédit à ce client.

5e étape (jour 60) Intenter des poursuites ou confier la créance à une agence spécialisée.

Le recouvrement exige une grande discipline. Par exemple, si un compte est dû le 31 mai, on fait parvenir au client une copie de la facture le 5 juin et on place le compte en attente jusqu'au 15 juin. Un fichier spécial ou une note spécifique devront rappeler au responsable de reprendre ce compte le 15 juin. Le 16, une lettre de rappel est envoyée au client, et le compte est de nouveau mis en attente jusqu'au 25 juin. À moins que le paiement ne lui parvienne entre-temps, le gestionnaire téléphonera au client dès le 26 juin pour obtenir des réponses aux questions suivantes : Pourquoi le compte n'a pas été payé ? Quand serez-vous en mesure de le régler ? Comment comptez-vous payer ce compte ? Les réponses à ces questions lui permettront de proposer une nouvelle entente au client.

Des progiciels de gestion des comptes à recevoir sont offerts sur le marché et permettent de maintenir à jour facilement l'état des comptes à recevoir.

On peut trouver des exemples de lettres utilisées pour le recouvrement des comptes en retard dans les livres portant spécifiquement sur le crédit commercial[1].

---

1. Nous suggérons le livre de **Pierre A. Douville**, *Le Crédit en entreprise : pour une gestion efficace et dynamique*, collection *Entreprendre*, Les Éditions TRANSCONTINENTAL inc. et la Fondation de l'Entrepreneurship, 1993 ou celui de **Lilian Beaulieu**, *Crédit et Recouvrement au Québec : manuel de référence pour les gestionnaires de crédit*, collection *Les Affaires*, Les Éditions TRANSCONTINENTAL inc., 1993.

L'AFFACTURAGE : CONFIER LES RESPONSABILITÉS

Il est possible qu'une entreprise confie la responsabilité de la perception des comptes à recevoir à une société d'affacturage. Essentiellement, ces sociétés offrent deux services. Elles assument d'abord les responsabilités relatives au crédit d'une entreprise. Elles se chargent de la perception et de la comptabilité, et peuvent même assumer les risques de mauvaises créances. C'est le service d'affacturage proprement dit. Elles offrent aussi à leurs clients la possibilité de recevoir immédiatement la valeur escomptée des comptes à recevoir. Il s'agit alors d'un service de financement.

Les sociétés d'affacturage existent depuis plus de 150 ans. Elles ont longtemps été presque exclusivement actives dans l'industrie du vêtement et du revêtement de sol, et plusieurs d'entre elles se sont développées dans l'important centre de textile qu'était Montréal. Elles sont maintenant de plus en plus actives dans d'autres domaines, tels les articles de sport, les appareils ménagers, la distribution en gros, les matériaux de construction et la plupart des biens de consommation. Elles sont souvent affiliées à une banque et on les retrouve surtout à Montréal et à Toronto. Leurs services sont cependant offerts dans toutes les régions du pays, par l'entremise du réseau bancaire.

Les ententes d'affacturage peuvent se faire avec ou sans droit de recours de la part de la société d'affacturage. Lorsqu'il n'y a pas de droit de recours, c'est cette dernière qui assume le risque de mauvaises créances et les coûts associés à leur recouvrement. S'il y a droit de recours, l'entreprise assume les pertes lorsqu'un débiteur devient insolvable. Ce type d'arrangement est moins avantageux pour l'entreprise, mais aussi moins coûteux.

Les sociétés d'affacturage exigent des frais qui peuvent varier entre 1 % et 3 % de la valeur des comptes à recevoir qui lui sont vendus. Le taux dépend de la valeur moyenne des comptes, du volume d'affaires et du risque. Si une société d'affacturage acquiert 10 000 $ de comptes à recevoir et que les frais exigés sont de 2 %, elle créditera 9 800 $ au compte du vendeur à la date d'échéance prévue pour leur paiement, dans un mois par exemple. Si le vendeur souhaite utiliser ces fonds avant cette échéance, la société accordera une avance moyennant une charge d'intérêt qui dépasse de 2 % à 3 % le taux préférentiel des banques. Dans une telle hypothèse, les fonds seront immédiatement disponibles au vendeur. Pour se protéger contre les créances qui pourraient faire l'objet de contestation, la société d'affacturage retiendra un montant arbitraire sur les sommes dues (10 % à 15 %), sur lequel l'entreprise ne pourra pas se financer.

Un arrangement typique d'affacturage se fait sur une base continue. À mesure que de nouveaux comptes à recevoir sont accumulés par le vendeur, ils sont transférés à la société d'affacturage, qui crédite le compte du vendeur selon l'entente prévue. Le vendeur effectue des retraits sur ce compte lorsqu'il veut utiliser les fonds disponibles. Ces comptes rapportent aussi de l'intérêt, si le vendeur préfère accumuler un solde.

La plupart du temps, les clients sont informés que leur compte a été vendu à une société d'affacturage et que le paiement doit être acheminé directement à cette dernière. C'est l'affacturage **avec notification**. Lorsque le client n'est pas avisé, l'affacturage est **sans notification**. Son paiement est alors acheminé au vendeur qui endosse le chèque et le remet à la société d'affacturage. Au Canada, on utilise habituellement l'affacturage avec notification.

L'affacturage est aux grossistes et aux manufacturiers ce que les cartes de crédit sont aux détaillants. Il leur permet de déléguer la responsabilité de la gestion des comptes à recevoir. De plus, il permet un financement plus flexible des comptes à recevoir, puisque la capacité de financement suit l'évolution des ventes. Il élimine aussi l'incertitude liée à la perception des comptes à recevoir et facilite la gestion de l'encaisse.

Malheureusement, dans le passé, on a souvent cru que les entreprises faisant affaire avec des sociétés d'affacturage étaient en difficulté et qu'elles y trouvaient une source de financement de dernier recours. L'implication accrue des grandes banques sur ce marché et une meilleure connaissance de la gestion du fonds de roulement aident aujourd'hui à modifier cette perception erronée.

L'ASSURANCE-CRÉDIT : POUR LES GROS COMPTES

Pour certains comptes à recevoir relativement élevés, l'entreprise peut utiliser l'assurance-crédit, qui la protège contre les conséquences financières désastreuses que pourrait représenter la faillite d'un client important. Les contrats d'assurance-crédit comportent des exclusions et des limites. Souvent, le montant assurable est limité par la réputation de crédit du client telle qu'évaluée par les agences d'évaluation de crédit. Habituellement, ces contrats incluent une clause de coassurance qui oblige l'entreprise à assumer un pourcentage de la perte pouvant varier de 10 % à 30 %. Le coût de l'assurance-crédit est généralement inférieur à 1 % du montant assuré.

Pour le commerce international, les entreprises peuvent obtenir de l'assurance-crédit en s'adressant à la Société pour l'expansion des exportations. Cette société canadienne de la Couronne a pour mandat de faciliter et d'accroître le commerce d'exportation du Canada. De fait, elle offre des services de prêts, d'assurances et de garanties aux entreprises canadiennes faisant affaire à l'étranger.

COMMENT CONTRÔLER L'ÉTAT DES COMPTES À RECEVOIR

Le contrôle de l'état des comptes à recevoir permet d'évaluer la qualité des comptes à recevoir et l'efficacité de la perception. L'information de base du système de contrôle provient de la liste des comptes à recevoir. Celle-ci indique les soldes non perçus et l'âge de chaque compte, c'est-à-dire le nombre de jours écoulés depuis la date de facturation. Un examen détaillé de cette liste renseigne sur l'évolution de certains comptes, par exemple les nouveaux comptes ou ceux dont l'importance est grande.

Pour l'ensemble des comptes à recevoir, il vaut mieux résumer la situation par quelques statistiques. Les plus utilisées sont le délai moyen de recouvrement, le tableau d'âge des comptes à recevoir et le profil de perception.

Pour montrer comment mesurer ces différents indicateurs, voici un exemple de l'évolution des comptes à recevoir d'une entreprise. On suppose que l'entreprise démarre ses activités. Les conditions de crédit sont « 1 %/10, net 60 » et la facturation se fait à la fin du mois. Nous faisons l'hypothèse que les comptes à recevoir sont perçus selon un rythme constant. Ainsi, 30 % des ventes sont perçues au cours du mois suivant celui de la vente, 60 % au cours du deuxième mois et 10 % au cours du troisième mois. On suppose donc un profil de perception de « 0, 30, 60, 10 ».

Avec un tel profil de perception, 100 % des ventes de mars (70 500 $) sont encore des comptes à recevoir à la fin de mars. On y trouve aussi 70 % des ventes réalisées en février et 10 % des ventes de janvier qui n'ont pas encore été perçues, soit respectivement 35 700 $ et 4 350 $. Tous ces montants font partie des comptes à recevoir, qui totalisent 110 550 $ à la fin de mars. On détermine de la même façon les comptes à recevoir à la fin des deux autres trimestres.

Observons les résultats présentés au tableau 3.3. On constate que les comptes à recevoir sont plus élevés à la fin du premier trimestre, même si les ventes de chaque trimestre sont égales. Ce n'est pas surprenant, puisque les ventes du premier trimestre sont plus concentrées dans le dernier mois. C'est le contraire pour le dernier

Tableau 3.3

LA SIMULATION DE L'ÉVOLUTION DES COMPTES À RECEVOIR

Mois	Ventes du mois	Solde non perçu à la fin du trimestre	Montant à recevoir à la fin du trimestre
Premier trimestre (Évolution croissante des ventes)			
Janvier	43 500 $	10 %	4 350 $
Février	51 000 $	70 %	35 700 $
Mars	70 500 $	100 %	70 500 $
Total	165 000 $		110 550 $
Deuxième trimestre (Évolution stable des ventes)			
Avril	54 500 $	10 %	5 450 $
Mai	56 000 $	70 %	39 200 $
Juin	54 500 $	100 %	54 500 $
Total	165 000 $		99 150 $
Troisième trimestre (Évolution décroissante des ventes)			
Juillet	78 000 $	10 %	7 800 $
Août	46 500 $	70 %	32 550 $
Septembre	40 500 $	100 %	40 500 $
Total	165 000 $		80 850 $

trimestre, alors que les ventes sont concentrées dans le premier mois et sont déjà encaissées en bonne partie. Les cycles saisonniers ont donc un impact sur le volume des comptes à recevoir.

Voyons maintenant comment calculer quelques indicateurs de l'évolution des comptes à recevoir, à partir des données du tableau 3.3.

Le délai moyen de recouvrement

Pour calculer le délai moyen de recouvrement, on divise le montant total des comptes à recevoir par le montant des ventes quotidiennes moyennes. On obtient un ratio exprimé en nombre de jours.

$$\text{Délai moyen de recouvrement en jours} = \frac{\text{Montant des comptes à recevoir}}{\text{Ventes quotidiennes moyennes}}$$

À la fin du premier trimestre, on obtient un délai moyen de recouvrement de 49 jours. Nous avons utilisé les ventes quotidiennes moyennes du mois de mars.

$$\text{Délai moyen de recouvrement} = \frac{110\,550\ \$}{\frac{70\,500\ \$}{31\ \text{jours}}} = 49\ \text{jours}$$

Normalement, le délai moyen de recouvrement doit se rapprocher du délai de crédit offert aux clients. S'il est trop élevé, cela indique que certains clients ne respectent pas la politique de crédit ou que certains comptes ont été négligés. Une augmentation du délai moyen de recouvrement indique un ralentissement dans la perception des comptes à recevoir et vice-versa.

Il faut cependant prendre garde aux conclusions hâtives, parce que cet indicateur n'est valable que lorsque les ventes d'une entreprise sont stables. Lorsque les ventes sont saisonnières, comme c'est le cas dans notre exemple, le délai moyen de recouvrement est faussé par l'évolution des ventes. Ainsi, le tableau 3.4 indique à la première ligne que le délai moyen de recouvrement augmente d'un trimestre à l'autre, passant de 49 jours à 60 jours. Un tel résultat pourrait alarmer un responsable de crédit mal avisé. Pourtant, le profil d'encaissement des comptes à recevoir est demeuré le même d'un trimestre à

Tableau 3.4

UN EXEMPLE D'UTILISATION DES VENTES MOYENNES DU DERNIER TRIMESTRE

	Premier trimestre	Deuxième trimestre	Troisième trimestre
En utilisant les ventes quotidiennes du dernier mois	49 jours	56 jours	60 jours
En utilisant les ventes quotidiennes du trimestre	60 jours	55 jours	45 jours

l'autre. Ce sont les cycles des ventes qui rendent instable le délai moyen de recouvrement.

On pourrait penser améliorer le ratio en utilisant les ventes quotidiennes moyennes du dernier trimestre, au lieu d'utiliser les ventes quotidiennes moyennes du dernier mois. Le résultat est présenté à la deuxième ligne du tableau 3.4. On obtient alors des résultats opposés : le délai moyen de recouvrement diminue d'un trimestre à l'autre. De plus, le délai moyen de recouvrement reste instable. C'est pourquoi on déconseille ce mode de calcul pour mesurer la performance de perception d'une entreprise dont les ventes sont cycliques ou saisonnières.

Le tableau de l'âge des comptes à recevoir

Le tableau de l'âge des comptes à recevoir est un autre moyen pour analyser la qualité et l'évolution des comptes à recevoir. Les institutions financières exigent parfois un tel tableau pour juger de la valeur réelle des comptes à recevoir, lorsqu'une demande de prêt leur parvient. Les résultats présentés au tableau 3.5 sont obtenus à partir des données du tableau 3.3. Habituellement, pour juger de l'évolution de la performance de perception, on

Tableau 3.5

LE TABLEAU DE L'ÂGE DES COMPTES À RECEVOIR EN POURCENTAGE À LA FIN DES TRIMESTRES						
Âge des comptes à recevoir	Premier trimestre Comptes à recevoir		Deuxième trimestre Comptes à recevoir		Troisième trimestre Comptes à recevoir	
	en $	en %	en $	en %	en $	en %
60 à 90 jours	4 350 $	4 %	5 450 $	5 %	7 800 $	10 %
30 à 60 jours	35 700	32	39 200	40	32 550	40
0 à 30 jours	70 500	64	54 500	55	40 500	50
Total	110 550 $	100 %	99 150 $	100 %	80 850 $	100 %

analyse les pourcentages. Ils montrent un vieillissement de l'âge des comptes à recevoir aux deuxième et troisième trimestres. Lorsque les ventes sont stables, cela indique une diminution de la qualité des comptes à recevoir.

Lorsqu'il y a des cycles dans les ventes, il faut se méfier de ces pourcentages. Par exemple, c'est en raison des ventes élevées de juillet que les comptes à recevoir âgés de 30 à 90 jours sont relativement plus importants (10 % dans l'ensemble des comptes à recevoir) à la fin du troisième trimestre. Cela laisse croire, à tort, que la qualité des comptes à recevoir s'est détériorée. Malgré l'utilité du tableau de l'âge des comptes à recevoir, il faut résister à la tentation d'utiliser les seuls pourcentages pour juger de la performance de perception lorsque les ventes sont cycliques.

Le profil de perception

Lorsque les ventes subissent des variations cycliques ou saisonnières, il faut chercher une mesure de performance indépendante de l'évolution des ventes. Le profil de perception répond à ce critère, et la plupart des systèmes d'information sur les comptes à recevoir permettent son calcul. Il s'agit de compiler, pour chaque mois, tous les paiements reçus et de les classer en fonction de la date de facturation, comme dans le tableau 3.6. Le total de chaque colonne équivaut au total des montants perçus au cours du mois. Le total de chaque ligne donne le chiffre des ventes réalisées au cours du mois. En divisant chaque chiffre du tableau par le total de la ligne correspondante, on obtient les ratios de perception en pourcentages qui sont présentés au tableau 3.7. La section encadrée montre que les ventes réalisées au cours du mois de mars ont été encaissées selon le profil de perception « 0, 30, 60, 10 ».

Le tableau 3.7 révèle la stabilité du profil de perception, même si les ventes fluctuent d'un mois à l'autre. C'est normal, car c'était l'hypothèse de départ de notre exemple. C'est aussi rassurant, puisque nous avons trouvé une méthode d'analyse indépendante du niveau des ventes et qui donne un diagnostic exact. Même si, à première vue, cette méthode de contrôle paraît difficile à comprendre, elle est nettement supérieure aux deux autres, et son implantation dans un système d'information sur les comptes à recevoir est facilement réalisable. Un bon technicien en fera rapidement son affaire.

Avec des données réelles, on trouverait plutôt une situation semblable à celle illustrée au tableau 3.8. Les parties encadrées du tableau permettent de déceler un allongement du profil de perception des comptes à recevoir. Alors que les comptes de février ont été encaissés selon un profil de perception de « 1, 36, 62, 1 », les comptes de septembre ont été encaissés selon un profil de « 0, 23, 51, 26 ». C'est un ralentissement. Le rôle des dirigeants devrait être alors d'en identifier les raisons et d'apporter les correctifs nécessaires.

L'analyse des ratios de perception fournit également un outil de prévision essentiel à la préparation du budget de caisse. Signalons enfin qu'il est préférable de faire l'analyse par catégories de produits, surtout lorsque les termes de crédit varient d'une catégorie à l'autre. Une

Tableau 3.6

LA COMPILATION DES MONTANTS PERÇUS CHAQUE MOIS													
Ventes du mois		**Mois de la perception**											
		Janvier	**Février**	**Mars**	**Avril**	**Mai**	**Juin**	**Juillet**	**Août**	**Septembre**	**Octobre**	**Novembre**	**Décembre**
Janvier	43 500		13 050	26 100	4 350								
Février	51 000			15 300	30 600	5 100							
Mars	70 500				21 150	42 300	7 050						
Avril	54 500					16 350	32 700	5 450					
Mai	56 000						16 800	33 600	5 600				
Juin	54 500							16 350	32 700	5 450			
Juillet	78 000								23 400	46 800	7 800		
Août	46 500									13 950	27 900	4 650	
Septembre	40 500										12 150	24 300	4 050
Perception totale dans le mois			**56 100**	**63 750**	**56 550**	**55 400**	**61 700**	**66 200**	**47 850**				

Tableau 3.7

LE PROFIL DE PERCEPTION DES COMPTES À RECEVOIR EN POURCENTAGE

Ventes du mois		Mois de la perception											
		Janvier	Février	Mars	Avril	Mai	Juin	Juillet	Août	Septembre	Octobre	Novembre	Décembre
Janvier	100	0	30	60	10								
Février	100			0	30	60	10						
Mars	100				0	30	60	10					
Avril	100					0	30	60	10				
Mai	100						0	30	60	10			
Juin	100							0	30	60	10		
Juillet	100								0	30	60	10	
Août	100									0	30	60	10
Septembre	100									0	30	60	10

Tableau 3.8

UNE ÉVOLUTION POSSIBLE DU PROFIL DE PERCEPTION DES COMPTES À RECEVOIR EN POURCENTAGE													
Ventes du mois		Mois de la perception											
		Janvier	Février	Mars	Avril	Mai	Juin	Juillet	Août	Septembre	Octobre	Novembre	Décembre
Janvier	100	0	33	60	7								
Février	100		1	36	62	1							
Mars	100			0	34	59	7						
Avril	100				0	40	50	8	2				
Mai	100					3	31	60	6				
Juin	100						0	37	61	2			
Juillet	100							0	32	54	14		
Août	100								0	20	42	36	2
Septembre	100									0	23	51	26

analyse globale pourrait donner des signaux inexacts. En effet, un changement dans l'importance relative de chaque catégorie de produits pourrait changer les ratios de perception de l'ensemble des comptes à recevoir sans qu'un changement réel soit intervenu dans la vitesse de perception des comptes à recevoir de chacune des catégories de produit.

MODIFIER LES POLITIQUES DE CRÉDIT : UNE ANALYSE S'IMPOSE

Pour faire face à la concurrence ou pour s'adapter à son environnement, les entreprises envisagent parfois de modifier leur politique de crédit. Faudrait-il accorder un escompte ? Faut-il en augmenter le pourcentage ? Devrait-on accorder un délai de crédit plus long pour attirer une nouvelle clientèle ? Doit-on plutôt le resserrer, pour réduire les besoins de financement du fonds de roulement ou le montant des mauvaises créances ? Voilà des questions qui reviennent souvent.

L'approche utilisée dans le choix des investissements convient bien pour l'analyse de ce type de décision. Il s'agit de comparer les bénéfices aux coûts. Les bénéfices peuvent provenir d'une augmentation des ventes, d'une réduction des mauvaises créances ou d'une réduction des besoins de financement. Les coûts peuvent provenir de l'augmentation des mauvaises créances, d'une augmentation des dépenses de comptabilisation et de perception ou de l'augmentation des besoins de financement.

Prenons un exemple. Une entreprise réalise un chiffre de ventes annuel de 2 300 000 $. Toutes les ventes sont conclues avec une entente de crédit « net 30 », et le délai moyen de recouvrement est de 35 jours. Aucun escompte n'est accordé, et l'entreprise réalise un profit brut de 569 000 $. C'est ce qu'indique le tableau 3.9, sous la colonne « Situation actuelle ». Nous supposons qu'il en coûte en moyenne 12 % avant impôt pour emprunter.

L'entreprise songe à accorder un escompte, pour inciter les clients à payer plus rapidement et réduire les comptes à recevoir. On estime qu'un escompte de 1 % accordé aux clients qui paient avant 10 jours pourrait intéresser 60 % des clients (ce qui représente environ 60 % du chiffre de ventes annuel). Le délai moyen de recouvrement pour les clients qui se prévaudraient de l'escompte serait de 9 jours. Les mauvaises créances diminueraient de 2 000 $, en raison d'une plus grande facilité à effectuer la perception. Pour la même raison, les frais d'administration pourraient baisser de 102 000 $ à 100 500 $. Aucune augmentation des ventes n'est envisagée à la suite de ce changement de politique.

L'analyse de ce projet est présentée au tableau 3.9. La partie supérieure du tableau mesure l'incidence du changement sur les profits bruts. L'escompte accordé sur le prix de vente réduit les profits bruts de 13 800 $ (1 % × 60 % × 2 300 000 $). Par contre, on prévoit une diminution des mauvaises créances et des frais d'administration de 3 500 $. L'effet net sur les profits bruts est donc une réduction de 10 300 $.

Une réduction des comptes à recevoir est cependant envisagée. En effet, les clients qui se prévalent de l'escompte acceptent de payer plus rapidement. Le délai moyen de recouvrement pour ces clients passe de 35 à 9 jours. L'incidence sur les comptes à recevoir et, par conséquent, sur les coûts de financement est mesurée dans la deuxième partie du tableau 3.9.

Pour évaluer les comptes à recevoir, on multiplie les ventes quotidiennes par le délai de recouvrement. Comme les ventes annuelles s'élèvent à 2 300 000 $, les ventes quotidiennes se chiffrent à 6 301 $ (2 300 000 $ ÷ 365). En multipliant ce chiffre par 35 jours, soit le délai moyen de recouvrement, on obtient 220 500 $. C'est le volume des comptes à recevoir dans la situation actuelle.

La nouvelle politique aura pour effet de scinder les ventes en deux parties : celles qui sont payées sans

Tableau 3.9

L'ANALYSE FINANCIÈRE D'UN CHANGEMENT DE POLITIQUE DE CRÉDIT

	Situation actuelle	Situation prévue	Changement
Incidence sur les profits bruts			
Ventes	2 300 000	2 300 000	0
– escompte	0	(13 800)	(13 800)
– coût des marchandises	(1 570 000)	(1 570 000)	0
– mauvaises créances	(17 000)	(15 000)	2 000
– frais d'administration	(102 000)	(100 500)	1 500
– autres frais	(42 000)	(42 000)	0
	569 000	558 700	
Diminution des profits bruts			**(10 300)**
Incidence sur les comptes à recevoir et les coûts de financement			
Ventes totales	2 300 000	2 300 000	
Ventes sans escompte	2 300 000	920 000	(40 %)
Ventes quotidiennes moyennes	6 301[1]	2 521	
Délai moyen de recouvrement	35 jours	35 jours	
Comptes à recevoir moyens	220 500	88 235	
Ventes avec escompte	aucune	1 380 000	(60 %)
Ventes quotidiennes moyennes		3 781	
Délai moyen de recouvrement		9 jours	
Comptes à recevoir moyens		34 029	
Total des comptes à recevoir	220 500	122 264[2]	
Diminution des comptes à recevoir			**98 236[3]**
Économie sur les coûts de financement (98 236 $ × 12 %)			**11 788**

(1) 2 300 000 $ ÷ 365 jours = 6 301 $
(2) 88 235 $ + 34 029 $ = 122 264 $
(3) 220 500 $ – 122 264 $ = 98 236 $

escompte au bout de 35 jours (environ 40 %) et celles qui sont payées avec escompte au bout de 9 jours (environ 60 %). Sous la colonne « Situation prévue », on évalue les comptes à recevoir à 122 264 $. L'escompte fait donc passer les comptes à recevoir de 220 500 $ à 122 264 $, soit une réduction de 98 236 $.

Cette réduction prendra la forme d'une entrée de fonds supplémentaire, réalisée dans les premiers mois de l'implantation de la nouvelle politique. Ces fonds pourront servir à réduire les dettes de l'entreprise, acheter du matériel ou même payer des dividendes. Si on tient compte d'un coût du capital de 12 %, l'entreprise réalise une économie annuelle de 11 788 $ sur les coûts de financement. Comme cette économie est supérieure à la diminution des profits bruts, un escompte pour paiement rapide serait donc rentable pour l'entreprise.

On doit retenir de cet exercice que les modifications des politiques de crédit ont un impact direct sur les besoins de financement de l'entreprise. Cet impact peut être évalué en utilisant le coût de financement. Malheureusement, cet aspect de la question est souvent négligé au cours de l'élaboration et de l'évaluation des politiques de crédit.

QUELQUES MOTS SUR LA GESTION DES COMPTES À PAYER

Il y a une similitude entre la gestion des comptes à payer et la gestion des comptes à recevoir, puisque les deux sont liés au concept de délai. Pour l'acheteur, le délai qui s'écoule entre la réception de la marchandise et la date à laquelle son compte de banque est débité est un délai positif. Il devrait donc exploiter au maximum le délai de facturation, le délai de crédit et le délai d'encaissement.

Lorsque la facturation est effectuée en fin de mois, l'acheteur peut retarder certains achats au début du mois suivant pour profiter d'un plus long délai. Les délais d'expédition du chèque et de son encaissement dépendent de la technologie utilisée. Un certain choix s'offre aussi concernant la date où le paiement est effectué. Ainsi, il est tout indiqué de profiter au maximum du délai de crédit en expédiant son chèque seulement quelques jours avant la date d'expiration ou en envoyant un chèque postdaté.

Comme nous l'avons vu, il est possible de donner une valeur pécuniaire aux délais en utilisant le coût du capital de l'entreprise. Cette notion peut être utilisée pour comparer les offres provenant de deux fournisseurs dont les ententes de crédit sont différentes. La valeur pécuniaire du délai de crédit s'obtient par le calcul suivant :

$$\text{Valeur pécuniaire du délai} = \text{Montant des fonds en attente} \times \text{Coût d'opportunité des fonds} \times \frac{\text{Durée du délai en jours}}{365 \text{ jours}}$$

Prenons l'exemple d'un achat de 1 000 $ et comparons deux fournisseurs qui offrent des conditions de crédit différentes. Le coût du capital avant impôt est de 15 %. Si le délai de crédit accordé par le fournisseur A est de 30 jours, on obtient une valeur du délai de 12,33 $. On l'obtient par le calcul suivant :

$$\text{Valeur pécuniaire du délai} = 1\,000\ \$ \times 15\ \% \times \frac{30 \text{ jours}}{365 \text{ jours}} = 12{,}33\ \$$$

Si le délai de crédit accordé par le fournisseur B est de 60 jours, on obtient une valeur du délai 24,66 $. D'un point de vue strictement économique, une réduction de prix d'environ 12,33 $ devrait être accordée par le fournisseur A pour que son offre soit considérée comme équivalente à celle du fournisseur B. En effet, en choisissant le fournisseur B, l'acheteur réalise une économie qui provient de la réduction du financement requis pour son fonds de roulement. L'augmentation des comptes à payer lui procure un financement supplémentaire gratuit qui lui coûterait autrement 12,33 $.

En raison de la valeur du délai positif, il peut être tentant de le rallonger en expédiant son paiement quelques jours en retard. Le résultat d'une telle stratégie dépend de la réaction du fournisseur. S'il n'impose pas de pénalité, par crainte de perdre un client, l'acheteur bénéficie indirectement d'une réduction de prix. Si une pénalité est imposée, cette stratégie est mauvaise, le montant de la pénalité dépassant habituellement la valeur du délai de crédit additionnel. De plus, il faut mentionner qu'en affaires la réputation se fonde sur des rapports francs entre fournisseurs et clients. Une entreprise ne peut retarder systématiquement le paiement de ses factures sans entacher sa réputation.

La présence d'un escompte pour paiement rapide devrait modifier le comportement de l'acheteur. L'escompte réduit le prix d'achat réel, et sa perte devrait être considérée comme une pénalité imposée à l'acheteur qui dépasse la date limite. Cela ressemble à la pénalité d'intérêt imposée lorsque l'échéance du délai de crédit n'est pas respectée. Cette façon de voir nous amène à comparer le coût de cette « pénalité » avec la valeur du délai de crédit supplémentaire.

Complétons l'exemple précédent. Le fournisseur B accorde un escompte de 1 % si le paiement est effectué avant 10 jours. Le prix d'achat effectif du produit devient donc 990 $, et la possibilité de retarder le paiement après le 10e jour représente un financement supplémentaire de 990 $ pendant 50 jours. Il est possible d'évaluer la valeur de ce délai en utilisant la même formule que précédemment.

$$\text{Valeur pécuniaire du délai} = 990\,\$ \times 15\,\% \times \frac{50 \text{ jours}}{365 \text{ jours}} = 20{,}34\,\$$$

L'acheteur devrait donc refuser l'escompte et payer la facture à l'échéance du délai de crédit. En effet, en renonçant à l'escompte de 10 $, il obtient un financement qui vaut 20,34 $, soit l'intérêt qu'il faudrait payer pour emprunter 990 $ à 15 % pendant 50 jours. Le fournisseur, lui, aurait avantage à repenser sa politique de crédit. Un terme de « 1 %/30, net 60 » serait probablement plus efficace !

En général, la renonciation de l'escompte est un moyen de financement très coûteux pour l'entreprise, à moins que le délai de crédit supplémentaire ne soit long, comme dans le cas de l'exemple précédent. Pour chaque terme de crédit, on peut trouver le coût de financement annuel équivalent à la renonciation de l'escompte.

$$\text{Coût du financement annuel équivalent} = \frac{\text{pourcentage d'escompte}}{(100\,\% - \text{escompte en }\%)} \times \frac{365}{\text{nombre de jours de crédit supplémentaire}} \times 100$$

Une condition de crédit de « 1 %/10, net 30 », on obtient un coût minimal de financement du capital de 18,43 %.

$$\text{Coût du financement annuel équivalent} = \frac{1\,\%}{(100\,\% - 1\,\%)} \times \frac{365}{(30 - 10)} \times 100 = 18{,}43\,\%$$

Cela veut dire que tous les clients qui estiment que leur coût du capital avant impôt est inférieur à 18,43 % devraient se prévaloir de l'escompte. Le tableau 3.10 donne d'autres exemples du coût de financement équivalent à différentes conditions de crédit.

CONCLUSION

La gestion des comptes à recevoir occupe une grande partie du temps des dirigeants, avec raison d'ailleurs. Il

Tableau 3.10

LE COÛT DE FINANCEMENT ANNUEL ÉQUIVALANT À LA RENONCIATION DE L'ESCOMPTE			
Condition de crédit	**Coût de financement équivalent**	**Condition de crédit**	**Coût de financement équivalent**
0,50 %/10, net 30	9,2 %	0,50 %/10, net 60	3,7 %
0,75 %/10, net 30	13,8 %	0,75 %/10, net 60	5,5 %
1 %/10, net 30	18,4 %	1 %/10, net 60	7,4 %
1,25 %/10, net 30	23,1 %	1,25 %/10, net 60	9,2 %
1,50 %/10, net 30	27,8 %	1,50 %/10, net 60	11,1 %

s'agit d'assurer des entrées d'argent régulières, permettant à l'entreprise de recommencer le cycle de transformation du capital, sans recourir continuellement au financement externe. La quantité de factures à manipuler et le besoin d'information rapide incitent les entreprises à se doter de systèmes de gestion informatisés, qui permettent un meilleur contrôle de l'état des comptes à recevoir. Malgré cela, une foule d'activités doivent encore être exécutées quotidiennement et certaines, comme la perception, exigent du tact et de la diplomatie.

Les politiques de crédit ont un impact sur les ventes de l'entreprise. Elles constituent un argument de vente qu'une bonne stratégie de marketing ne manquera pas d'exploiter. Cependant, elles ont aussi un impact sur la situation financière de l'entreprise et exercent parfois une pression sur ses besoins de financement. Pour cette raison, l'analyse des politiques de crédit doit toujours tenir compte du coût d'opportunité des fonds investis dans les comptes à recevoir.

BIBLIOGRAPHIE

Atkins, J.C. et Kim, Y.H., « Comment and Correction: Opportunity Cost in the Evaluation of Investment in Accounts Receivable », *Financial Management*, hiver 1977, p. 71 à 74.

Banque fédérale de développement, *Crédit et Recouvrement*, Ottawa, 1984.

Beaulieu, L., *Crédit et Recouvrement au Québec : manuel de référence pour les gestionnaires de crédit*, Les Éditions TRANSCONTINENTAL inc., Montréal, 1993.

Boldin, R. et Feeney, P., « The Increased Importance of Factoring », *Financial Executive*, avril 1981, p. 19 à 21.

Carpenter, M.D. et Miller, J.E., « A Reliable Framework for Monitoring Accounts Receivable », *Financial Management*, hiver 1979, p. 37 à 40.

Del Grande, M.A., « L'Affacturage », *CA Supplément français*, juin 1980, p. 9 à 12.

Demers, R., *Le Financement de l'entreprise : aspects juridiques*, Les Éditions Revue de Droit, Université de Sherbrooke, 1985.

Douville, P.A., *Le Crédit en entreprise : pour une gestion efficace et dynamique*, Les Éditions TRANSCONTINENTAL inc. et la Fondation de l'Entrepreneurship, Montréal, 1993.

Gahala, C.L., « What Credit Executives Do », *Credit and Financial Management*, avril 1984, p. 16 à 18.

Hill, N.C. et Reiner, K.D., « Determining the Cash Discount in the Firm's Credit Policy », *Financial Management*, printemps 1979, p. 68 à 73.

Johnson, R.W., « Management of Accounts Receivable and Payable », section 28 dans *Financial Handbook*, Altman, E.I. (éd.), John Wiley and Sons, New York, 1981.

Labrecque, G., *Monnaie, banque et crédit au Canada*, 2e éd., Presses de l'Université Laval, Québec, 1983.

Lusztig, P. et Schwab, B., *Managerial Finance in a Canadian Setting*, 4e éd., chap. 18, Butterworths, Toronto, 1988.

Owens, J.A., « Forming and Enforcing Credit Policies », *Credit and Financial Management*, mars 1984, p. 30 à 36.

Roberts, G.S. et Viscione, J.A., « Credit Executives Speak Out on Policy Making », *Credit and Financial Management*, mai 1984, p. 29 à 34.

Roy, J., « L'Analyse des comptes à recevoir : une nouvelle approche », *Revue Commerce*, mars 1979, p. 138 à 141.

Walia, T.S., « Explicit and Implicit Cost of Changes in the Level of Accounts Receivable and the Credit Policy Decision of the Firm », *Financial Management*, hiver 1977, p. 75 à 78.

Weston, J.F., *Treasurer's Handbook*, Dow-Jones-Irwin, Homewood (Illinois), 1976.

CHAPITRE 4

LA GESTION DES STOCKS

Avec les comptes à recevoir, les stocks représentent un des plus importants postes du fonds de roulement naturel des entreprises. Le tableau 1.2 (présenté au chapitre 1) révèle qu'en 1994 les stocks représentaient en moyenne 12,3 % de l'actif total de l'ensemble des entreprises, en comparaison de 13 % pour les comptes à recevoir. Les écarts autour de cette moyenne sont assez grands. Par exemple, dans le secteur des biens et des services à la consommation, le pourcentage atteint 31,7 %. Dans le secteur de l'impression, de l'édition et de la télédiffusion, le pourcentage n'est que de 3,4 %. Dans ce cas, le matériel et les immobilisations élevés font gonfler l'actif total de sorte que le pourcentage que représentent les stocks baisse. Il s'agit là, toutefois, de caprices statistiques qui n'enlèvent rien à l'importance des stocks.

La gestion des stocks d'une entreprise dépend des caractéristiques mêmes de cette dernière, surtout en ce qui concerne son degré d'intégration entre la production et la distribution. Certains manufacturiers intègrent complètement la distribution en gros de leurs produits. Dans ce cas, la gestion des stocks consiste, entre autres, à planifier les mouvements de marchandises entre les divers points de stockage. C'est la même chose pour une entreprise qui s'occupe de la distribution en gros et au détail. Aussi, lorsqu'une entreprise fabrique ou vend plusieurs produits, la gestion des stocks d'un produit en particulier peut être dépendante de celle des autres produits, surtout s'ils partagent l'utilisation des mêmes moyens de transport et des mêmes espaces. Les délais d'approvisionnement et les caractéristiques de la demande peuvent être très différents d'un produit à l'autre, ce qui complique la tâche du gestionnaire.

Étant donné la grande variété d'entreprises commerciales et de leur organisation, il n'existe aucun modèle de gestion des stocks applicable à chaque entreprise. Il existe plutôt un certain nombre de modèles qui s'adressent à certains cas types. Ces modèles sont développés à partir d'hypothèses sur l'évolution de la demande et des coûts de gestion, et plusieurs d'entre eux relèvent de la gestion de la production. Il est impossible, dans un seul chapitre, de les passer tous en revue. Nous nous limiterons aux aspects les plus pertinents pour une gestion financière efficace.

La première partie de ce chapitre décrit les divers types de stocks. La deuxième porte sur la distribution des articles en stock. On y explique **le système ABC** de gestion des stocks, qui permet d'attribuer un ordre de priorité aux articles stockés par l'entreprise. La troisième partie traite des coûts directs et indirects associés à la gestion des stocks. La recherche d'un juste équilibre entre les diverses catégories de coûts est cruciale pour l'élaboration d'une politique de gestion des stocks. Les principaux systèmes de contrôle des stocks sont ensuite étudiés. Nous verrons, pour finir, comment les stocks de sécurité peuvent limiter les ruptures de stocks.

QUELS SONT LES DIVERS TYPES DE STOCKS ?

Les stocks servent à dissocier les opérations de fabrication et de distribution. Ils rendent possible la fabrication d'un produit en un lieu éloigné des consommateurs et la constitution de sources d'approvisionnement. De même, lorsqu'on peut stocker, il n'est pas nécessaire d'organiser la production pour qu'elle coïncide avec les besoins des consommateurs, tout comme la consommation n'a pas à se plier aux contraintes de la production. Les différents stades de fabrication et de distribution sont donc réalisés plus facilement et plus économiquement.

Des stocks sont aussi requis en raison du temps nécessaire pour réaliser les opérations de fabrication et de distribution. On imagine difficilement à quel point les consommateurs devraient être patients s'il n'y avait pas de stocks constitués aux divers stades de fabrication et de distribution des produits. Les listes d'attente seraient très longues. On imagine aussi la difficile tâche des gestionnaires, qui devraient modifier continuellement leurs plans pour s'ajuster à la demande.

L'utilité des stocks est évidente d'un point de vue économique. Il faut cependant noter qu'ils entraînent des coûts que les entreprises doivent assumer. Du point de vue de la gestion, on peut distinguer les **stocks de mouvement**, requis en raison des délais, et les **stocks d'organisation**, requis pour des raisons d'efficacité de gestion.

Les stocks de mouvement

Pour déplacer ou fabriquer un produit, il faut du temps. Il y a donc inévitablement création d'un stock de mouvement. On détermine la valeur moyenne des stocks requis par la formule suivante.

$$\text{Quantité en stock} = \text{Demande moyenne par jour} \times \text{Nombre de jours requis pour le déplacement ou la fabrication}$$

Si la demande quotidienne moyenne est de 400 unités et qu'il faut 6 jours pour acheminer les produits de l'usine vers les distributeurs, le stock de mouvement moyen (ou stock en transit) sera de 2 400 unités.

$$\text{Quantité en stock} = 400 \text{ unités} \times 6 \text{ jours} = 2\,400 \text{ unités}$$

Vu sous un autre angle, on peut dire qu'une unité produite à l'usine doit demeurer inutilisée pendant six jours en attendant d'être livrée. En moyenne, il y aura donc l'équivalent des ventes de six jours sous forme de stocks en transit. Le temps de transformation d'un produit occasionne aussi un stock de mouvement. Toutes les voitures sur une chaîne d'assemblage constituent un stock qui varie avec la durée totale de l'assemblage. Même si les unités sont remplacées continuellement, un certain niveau d'inventaire persiste tant que l'opération continue. Cette catégorie de stock fait donc partie du fonds de roulement permanent d'une entreprise.

Les stocks d'organisation

Les stocks d'organisation servent à améliorer l'efficacité de la gestion de l'entreprise. Les **stocks en lots** sont les plus connus. Ainsi, il est courant d'acheter les matières premières en lots d'assez grande quantité pour profiter d'escomptes, prévenir les augmentations de prix et réduire les frais de manutention, de réception et d'administration. Pour des raisons similaires, les entreprises de fabrication préfèrent produire des lots relativement importants avant de modifier une chaîne de montage.

Ici, les dirigeants doivent faire des choix. La stratégie «juste-à-temps», populaire depuis quelques années, propose de réduire les stocks en améliorant la souplesse de l'entreprise devant la demande exprimée pour ses produits. Sa réalisation exige une excellente planification et, malgré cela, il restera toujours des situations où le stockage demeure financièrement souhaitable.

Les **stocks de sécurité** sont aussi très connus. On les garde pour prévenir les ruptures de stocks occasionnées par les variations imprévisibles de la demande. Les commerces de détail maintiennent ainsi de nombreux produits en stock pour répondre rapidement aux besoins de leurs clients. C'est pour eux un instrument de marketing. Lorsqu'une entreprise manufacturière est fortement intégrée, les différents services de production de pièces d'assemblage peuvent aussi conserver des stocks de sécurité pour éviter que le département d'assemblage ne devienne incapable d'agir rapidement parce que les pièces requises ne sont pas disponibles.

Les **stocks d'anticipation** constituent une autre forme de stocks d'organisation. Les plus connus sont les stocks saisonniers. Ils sont maintenus lorsque la demande est relativement connue, mais varie de façon saisonnière. C'est le cas, par exemple, des jouets ou des articles de sport. Il peut être plus avantageux de répondre à la demande en faisant varier les stocks plutôt que le rythme de production. On évite ainsi les mises à pied temporaires ou le paiement de temps supplémentaire. La capacité de production de l'entreprise est utilisée plus efficacement.

Des stocks d'anticipation sont aussi constitués lorsque la production est saisonnière et la demande plutôt stable. On peut citer en exemple la production et le stockage du ketchup. En effet, il est plus avantageux d'acheter les tomates lorsque l'offre est abondante et les prix faibles, quitte à stocker ensuite de grandes quantités de ketchup.

Les stocks de mouvement et d'organisation se retrouvent dans l'une ou l'autre des trois catégories suivantes : les matières premières, les produits en cours de fabrication et les produits finis. La distribution de l'inventaire entre ces trois catégories varie beaucoup d'un secteur à l'autre et d'une entreprise à l'autre. Les commerces de détail maintiennent un stock constitué essentiellement de produits finis, alors que les firmes de service-conseil n'ont pas de stock physique, mais plutôt des travaux en cours, c'est-à-dire des contrats à différents stades de réalisation. Quant aux entreprises manufacturières, elles maintiennent souvent les trois catégories de stocks.

La façon de réduire les stocks de mouvement est évidente. Il faut raccourcir les délais de fabrication et de déplacement. Mais souvent ces délais reflètent des contraintes physiques qu'on ne peut modifier aisément. Pour les stocks d'organisation, c'est plus difficile. En effet, des stocks importants réduisent les besoins de coordination entre les divers stades de transformation. Pourtant, le coût d'opportunité des fonds investis dans les stocks et les frais d'entreposage sont élevés. Il faut donc viser un juste milieu, un niveau optimal.

LES ARTICLES EN STOCK N'ONT PAS TOUS LA MÊME IMPORTANCE

Dans bien des cas, l'inventaire d'une entreprise comprend plusieurs articles, qui vont des plus menus aux plus gros et des plus économiques aux plus dispendieux. Certains sont utilisés en grande quantité, d'autres le sont rarement. Comme les efforts consacrés à la gestion des stocks impliquent du temps et de l'argent, il faut canaliser cette énergie pour en tirer le meilleur parti. La gestion des articles qui ont le plus d'importance en matière d'investissement et d'utilisation mérite donc plus de soin.

La méthode ABC propose de diviser les stocks en trois groupes. Le groupe A comprend les articles pour lesquels les contrôles les plus stricts sont exercés. Le groupe B comprend les articles contrôlés à intervalles réguliers, et le groupe C les articles rarement contrôlés. Pour classer les articles selon ces groupes, il faut étudier la distribution des articles en stock. Le tableau 4.1 indique comment effectuer cette distribution.

Pour mesurer l'importance relative de chaque article en stock, on considère sa valeur unitaire et l'utilisation qui en est faite. Le produit de ces deux quantités donne la valeur totale des achats au cours de l'année. C'est une bonne indication de la contribution relative de chaque article au chiffre de ventes ou aux bénéfices de l'entreprise. La valeur des achats sert à classer les articles par ordre d'importance. La dernière colonne du

Tableau 4.1

LA DISTRIBUTION D'UN INVENTAIRE COMPRENANT PLUSIEURS ARTICLES				
Ordre par importance de la valeur annuelle des achats	**Utilisation au cours d'une année**	**Prix d'achat par unité**	**Valeur annuelle des achats**	**Valeur cumulée des achats**
1	2 000	60 $	120 000 $	120 000 $
2	230	300	69 000	189 000
3	50	420	21 000	210 000
4	10 000	2	20 000	230 000
5	2 200	9	19 800	249 800
6	400	45	18 000	267 800
Groupe A : valeur des achats (81 % du total)			**267 800 $**	
7	30	380 $	11 400 $	279 200 $
8	250	45	11 250	290 450
9	20	425	8 500	298 950
10	200	40	8 000	306 950
11	3 000	2	6 000	312 950
12	30	190	5 700	318 650
13	240	18	4 320	322 970
Groupe B : valeur des achats (17 % du total)			**55 170 $**	
14	150	15 $	2 250 $	325 220 $
15	150	10	1 500	326 720
16	80	12	960	327 680
17	100	9	900	328 580
18	20	28	560	329 140
Groupe C : valeur des achats (2 % du total)			**6 170 $**	

tableau indique la valeur cumulée des achats à mesure que s'ajoutent des articles. Par exemple, la valeur cumulée des achats des deux articles ayant le plus d'importance représente 189 000 $, soit plus de 50 % des achats totaux. Logiquement, on devrait donc accorder autant d'attention à ces deux articles qu'à tous les autres réunis.

La figure 4.1 montre l'évolution de la valeur cumulée des stocks à mesure qu'on ajoute des articles, en commençant par ceux qui représentent l'investissement le plus élevé. La valeur totale de l'investissement en stock s'élève à 329 140 $.

La méthode ABC consiste à former plusieurs groupes d'articles selon leur importance financière. Dans

Figure 4.1

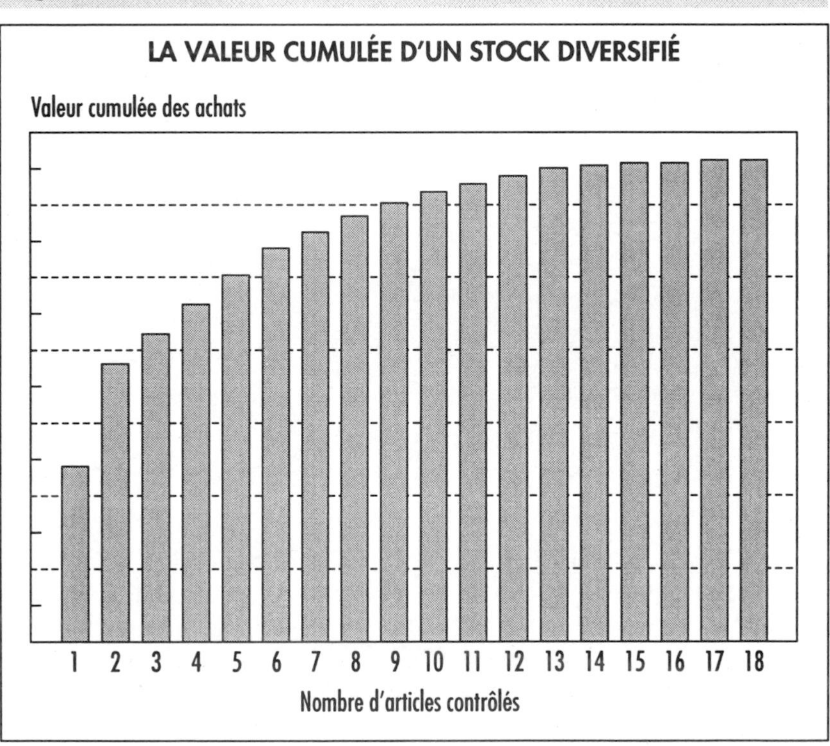

le tableau 4.1, les six premiers articles constituent le groupe A, sur lesquels les contrôles les plus rigoureux sont appliqués. Leur importance cumulée est de 267 800 $, ce qui représente 81 % de la valeur totale des achats au cours d'une année. Le groupe B se constitue des sept articles suivants, représentant 17 % du total des achats. Ensemble, les articles des groupes A et B constituent 98 % du total. Les cinq autres articles, qui ne représentent que 2 % de la valeur totale de l'inventaire, forment le groupe C. On peut voir qu'en contrôlant 33 % des articles (6/18), on contrôle déjà 81 % de la valeur de l'inventaire. En contrôlant 72 % des articles, on contrôle 98 % de la valeur de l'inventaire.

La méthode ABC est utile pour gérer efficacement les ressources humaines et financières affectées au contrôle des stocks. Elle doit cependant tenir compte de la spécificité des stocks de l'entreprise. Il pourrait y avoir plus ou moins de trois groupes : l'important étant d'obtenir une bonne catégorisation des articles en inventaire. C'est ensuite la responsabilité des dirigeants d'élaborer les moyens de contrôle adaptés à chaque groupe. Voici quelques suggestions.

Groupe A
- **Tenir à jour des relevés permanents de l'état des stocks.**
- **Choisir la fréquence des commandes en tenant compte du coût d'opportunité des fonds et des frais d'entreposage.**
- **Fixer un volume minimal de stock en fonction des délais de livraison et des fluctuations de la demande.**

Groupe B
- **Tenir à jour des relevés permanents des articles les plus importants seulement, pour réduire les frais de contrôle.**
- **Commander en fonction d'un approvisionnement de quatre à six mois.**
- **Renouveler les stocks lorsqu'il n'en reste que pour un mois.**

Groupe C
- **Réviser de temps à autre le niveau des stocks.**
- **Commander en fonction d'un approvisionnement de six mois à un an.**
- **Renouveler les stocks lorsqu'il n'en reste que pour deux ou trois mois.**

LA GESTION DES STOCKS IMPLIQUE DES FRAIS

Les coûts associés à la gestion des stocks ne sont pas toujours facilement identifiables dans l'état des revenus et dépenses. Par exemple, le poste « traitements et salaires » peut comprendre des coûts liés à la manutention des stocks. Mais dans quelle proportion ? Pour le savoir, il faudrait connaître les affectations de chaque employé et le temps qu'ils accordent pour accomplir cette tâche. Certains coûts ne sont même pas comptabilisés. Par exemple, le coût d'opportunité des fonds immobilisés dans les stocks est un manque à gagner qui n'apparaît pas dans les états financiers. Les dirigeants doivent pourtant s'en préoccuper, puisqu'ils risquent de devoir assumer des frais additionnels de financement. Pour se faire une meilleure idée de l'ensemble de ces coûts, nous les classerons en six catégories.

1. Le coût de l'achat ou de la fabrication des stocks

La première catégorie comprend le coût des stocks eux-mêmes. Pour un commerce, c'est le coût des marchandises. Pour une entreprise de fabrication, ce sont les coûts de fabrication, incluant les salaires, le coût des matières premières et les coûts directs de production. Lorsque des escomptes sont accordés pour des achats en grande quantité ou lorsqu'une importante hausse de prix est prévue, la taille des commandes peut modifier cette catégorie de coût. De toute évidence, l'entreprise cherche à se procurer ou à fabriquer ses produits au meilleur prix possible.

2. Le coût des commandes

La deuxième catégorie comprend les coûts des commandes. Ce sont les frais que l'entreprise encourt chaque fois qu'elle passe une nouvelle commande, comme les frais d'appels, les coûts de contrôle à la réception, les frais de livraison, etc. On peut considérer que les coûts qui entrent dans cette catégorie sont indépendants de la taille des commandes. Commander de grandes quantités pour réduire le nombre de commandes au cours d'une année réduit donc les coûts de commande. Cette stratégie peut toutefois faire augmenter d'autres catégories de coûts.

3. Les coûts d'entreposage

La troisième catégorie comprend les frais d'entreposage, liés à l'espace occupé par les stocks. On peut y ajouter les frais de manutention, d'assurance et de désuétude. Ce sont des coûts qui varient selon la taille du stock. Pour un même volume de ventes, les coûts de cette catégorie peuvent être réduits si l'entreprise adopte une politique et des méthodes qui lui permettent de conserver un stock moins élevé, ce qui équivaut à commander de plus petites quantités à la fois. Une réduction des coûts de cette catégorie peut donc se traduire par une augmentation des coûts de commande.

4. Le coût d'opportunité des fonds investis dans les stocks

Le coût d'opportunité des fonds investis dans les stocks dépend lui aussi de la taille et de la valeur des stocks. Il est directement lié au coût de financement du fonds de roulement de l'entreprise. Plus les stocks sont importants, plus les besoins de capitaux sont élevés. De même, lorsque des escomptes sont accordés pour des achats en grande quantité, la valeur de ces rabais doit être comparée à l'augmentation du coût d'opportunité des fonds investis et aux coûts d'entreposage qui en résultent. Il faut donc rechercher un juste équilibre entre les deux.

5. Les coûts entraînés par l'insuffisance de stocks

Ces coûts sont difficiles à évaluer, puisqu'ils proviennent d'un manque à gagner qui n'apparaît pas dans les états financiers. Ils n'en sont pas moins réels. Tout dépend de ce qui arrive lorsqu'une entreprise ne peut pas répondre immédiatement à la demande d'un client en raison d'une pénurie de stocks. Au mieux, si le client accepte d'attendre, le coût se limite à la valeur du délai d'encaissement de la vente que ce retard aura causé. Il peut arriver cependant que la vente soit perdue. Il est même possible que l'entreprise perde un bon client au profit d'un compétiteur ou voie ternir sa réputation auprès de clients potentiels. Pour une entreprise de fabrication, l'arrêt d'une chaîne de production, en raison d'une pénurie de matières premières peut s'avérer très coûteux. On réduit les coûts de cette catégorie en gardant des stocks de sécurité.

6. Les coûts liés au contrôle

La sixième catégorie comprend les coûts de contrôle des stocks. Ce sont les coûts d'implantation et de fonctionnement du système de gestion des stocks. Lorsqu'une entreprise envisage la modernisation de son équipement ou l'embauche de nouveaux employés affectés à cette tâche, elle doit comparer les coûts additionnels de ce projet avec les économies qu'elle espère réaliser sur les coûts des autres catégories.

L'identification des coûts est essentielle à l'élaboration des politiques de gestion des stocks, même si l'information fournie par les états financiers usuels est souvent insuffisante. Une connaissance approfondie des rouages de l'organisation et un système d'information interne mieux développé sont donc requis. Parce que certains coûts sont peu apparents, comme le coût d'opportunité des fonds investis dans les stocks ou les coûts entraînés par l'insuffisance des stocks, il arrive que les politiques de gestion n'en tiennent pas compte. Par exemple, lorsque des articles sont peu encombrants, on peut être tenté d'en commander de grandes quantités, sous prétexte que les coûts de stockage sont peu élevés. Ce serait une erreur de gestion, puisqu'on négligerait ainsi le coût d'opportunité des fonds investis dans les stocks.

Pour terminer cette section, le tableau 4.2 rappelle les six catégories de coûts liés à la gestion des stocks, en indiquant quelle est leur relation avec la taille moyenne des stocks.

Tableau 4.2

LES CATÉGORIES DE COÛTS LIÉS À LA GESTION DES STOCKS

Catégorie de coûts	Caractéristique
Coûts de l'achat ou de la fabrication	La taille moyenne des stocks n'influence pas cette catégorie, sauf si des escomptes de quantité sont offerts.
Coûts des commandes	Pour réduire ces coûts, il faut commander de plus grandes quantités à la fois, ce qui augmente la taille moyenne des stocks.
Coûts d'entreposage	Pour réduire ces coûts, il faut conserver des stocks moins importants, donc commander de plus petites quantités.
Coûts d'opportunité des fonds investis dans les stocks	Pour réduire ces coûts, il faut conserver des stocks moins importants, donc commander de plus petites quantités.
Coûts entraînés par l'insuffisance des stocks	Pour réduire ces coûts, il faut constituer des stocks de sécurité, ce qui augmente la taille moyenne des stocks.
Coûts liés au contrôle	Ces coûts sont fonction du nombre d'articles qui composent l'inventaire. La taille moyenne des stocks a donc peu d'incidence.

LE SYSTÈME D'INFORMATION SUR LES STOCKS

Pour connaître l'état de ses stocks et disposer de renseignements permettant une gestion efficace de ceux-ci, l'entreprise doit se doter d'un bon système d'information. Celui-ci comprend la liste des articles en stock. On peut assigner à chaque article un code qui servira à faire des classifications par type de produit, par fournisseur ou par emplacement. Pour chaque article, on note la quantité disponible, le nombre d'unités commandées, le prix d'achat, le prix de vente suggéré, le fournisseur, etc. On peut ajouter des statistiques sur la demande moyenne, la variance, la demande maximale, les délais de livraison ou la fréquence des commandes. Ces statistiques serviront à déterminer la taille optimale des commandes et des stocks de sécurité. C'est un aspect dont nous parlerons plus loin. Le tableau 4.3 montre un relevé des stocks.

Pour maintenir le système à jour, il faut enregistrer les commandes de marchandises et confirmer les renseignements après avoir vérifié les quantités reçues. Les vendeurs doivent avoir accès au système de contrôle des stocks pour remplir les commandes des clients. Ils doivent être en mesure de modifier les quantités disponibles, même si les articles sont encore en stock.

L'élaboration d'un système de contrôle des stocks exige une connaissance approfondie de l'organisation et une excellente coordination entre les divers services. Malgré l'établissement de procédures rigoureuses et la meilleure volonté de tous les participants, il arrive que les quantités indiquées au répertoire des produits ne correspondent pas aux quantités réellement disponibles. Il peut y avoir des erreurs à la réception ou à l'expédition, une mauvaise transcription des données, des commandes annulées ou égarées, etc. Il faut donc effectuer de temps à autre des vérifications manuelles. Certaines entreprises profitent pour ce faire de la fin de l'année financière, alors qu'elles dressent leur inventaire. D'autres préfèrent des vérifications plus fréquentes.

Tableau 4.3

UN EXEMPLE DE RELEVÉ DES STOCKS								
Code	**Description**	**Quantité**	**Commande**	**Prix d'achat**	**Prix de vente**	**Demande moyenne**	**Fournisseur**	**Remarque**
03-9876-35	pinceau 3 po soie	160	0	2,38	3,19	42	Texpro	
03-9876-36	pinceau 4 po soie	230	0	2,80	4,19	58	Texpro	
03-9876-37	pinceau 6 po soie	105	120	3,30	4,89	27	Texpro	Discontinué
03-9886-35	pinceau 3 po vinyle	185	0	1,60	2,55	70	Fibrex	
03-9886-36	pinceau 4 po vinyle	330	0	2,20	3,09	102	Fibrex	
03-9886-37	pinceau 6 po vinyle	200	0	2,70	4,12	61	Fibrex	

L'informatique est d'une grande utilité pour l'élaboration et la mise à jour d'un système d'information sur les stocks. Essentiellement, il existe deux types de systèmes. On parle de **système d'information continue** lorsque la révision du niveau des stocks s'effectue après chaque transaction ou après chaque journée. Lorsque la révision s'effectue à intervalles réguliers, on parle alors de **système d'information périodique**.

Avec un système d'information périodique, la fréquence des révisions peut coïncider avec la fréquence des commandes. Par exemple, on révise le niveau des stocks chaque mois pour passer une commande. Le nombre d'unités commandées doit être suffisant pour attendre jusqu'à la réception de la commande suivante. En fonction de la politique de service à la clientèle, il faudra prévoir un stock de sécurité, pour parer à une éventuelle hausse de la demande au cours du cycle de commande.

Avec un système informatique plus élaboré, on peut utiliser un système d'information continue des stocks. Les commerces de détail disposent maintenant de caisses enregistreuses qui sont en fait des terminaux d'entrée des données. Chaque article est identifié par un numéro, et chaque fois qu'une vente est effectuée le niveau des stocks est modifié. À la fin de la journée, il est possible de connaître l'état exact des stocks. Les entreprises de distribution en gros préfèrent également un système d'information continue. Avec le développement de l'informatique, ces systèmes prennent d'ailleurs le pas sur les systèmes d'information périodique.

Un des avantages du système d'information continue est qu'il permet de diminuer le stock de sécurité tout en maintenant le même service. Il en est ainsi parce que ce système augmente la souplesse de l'entreprise en attirant rapidement son attention sur les baisses inhabituelles des stocks. Le service des ventes bénéficie également de renseignements plus justes avec un tel système. Malgré cela, un comptage manuel est requis de temps à autre pour s'assurer que le stock décrit par le système correspond bien au stock réel. Les divergences causées par le vol, la désuétude, la perte ou les erreurs d'enregistrement pourraient exposer l'entreprise à des ruptures de stock regrettables.

Un système d'information porte habituellement sur les stocks liés aux opérations courantes. Mais l'entreprise peut occasionnellement détenir des stocks pour d'autres raisons. Par exemple, elle peut racheter le stock d'une entreprise en difficulté pour réaliser un profit rapide. Elle peut se retrouver avec des stocks importants parce qu'un contrat a été annulé. Elle peut stocker des sous-produits ou des produits ayant des défauts mineurs de fabrication. Les stocks ainsi constitués doivent faire l'objet d'une gestion distincte. Le système d'information devrait d'ailleurs permettre de distinguer de tels stocks.

LA RECHERCHE D'UN JUSTE ÉQUILIBRE

Lorsque les dirigeants disposent d'information sur les coûts liés à la gestion des stocks, il leur est possible de planifier leurs achats pour minimiser ces coûts. **La variable la plus importante est la taille des commandes.** Pour plusieurs commerces, notamment dans l'industrie du vêtement, les dates approximatives des achats sont imposées par les saisons. La principale difficulté est de prévoir la demande au cours des prochains mois. Une sous-estimation de la demande peut occasionner un manque à gagner dû à l'insuffisance des stocks. Une surestimation fait augmenter les coûts de financement, en plus d'occasionner des frais d'entreposage plus élevés. L'obsolescence des stocks, qui se manifeste par une baisse de leur valeur en fin de saison, est aussi à craindre.

Les entreprises dont la demande est plutôt stable disposent d'une plus grande latitude dans le choix de la taille des commandes. **L'approche du balancement des coûts est alors fortement suggérée.** Elle consiste à déterminer la taille des commandes afin que le total des coûts de gestion des stocks soit le plus faible possible. Si on commande de grandes quantités, les coûts de commande seront réduits, puisqu'on commandera moins souvent. Parfois, il sera possible d'obtenir de cette façon des escomptes de quantité. Cependant, cette stratégie occasionne des frais d'entreposage et augmente le coût d'opportunité des fonds investis dans les stocks.

Si on commande de plus petites quantités à la fois, les frais d'entreposage et le coût d'opportunité diminuent, mais les coûts de commande pour une année complète augmentent. Lorsque la structure des coûts est connue, ne serait-ce qu'approximativement, il est facile de trouver la stratégie qui constitue un juste équilibre entre les diverses catégories de coûts. Cela consiste à déterminer la quantité commandée de façon à réduire au minimum les coûts liés à la gestion des stocks. C'est ce qu'on appelle **la taille optimale de commande**. Pour y arriver, il faut comparer diverses stratégies à l'aide d'un tableau.

Pour illustrer cette approche, utilisons un exemple. Une entreprise commerciale achète des calculatrices et les revend au rythme de 300 par mois. La demande est stable, ce qui veut dire que la quantité vendue chaque jour ou chaque semaine est à peu près la même. Le coût unitaire des calculatrices est de 24 $, et chaque commande impose des coûts de 90 $. Ces frais comprennent le temps passé à préparer le bon de commande et les frais de contrôle lors de la réception des marchandises. On peut considérer que ces frais sont indépendants de la taille des commandes, étant donné la nature du produit. Les frais d'entreposage et d'assurance représentent environ 8 % de la valeur moyenne du stock, et le coût d'opportunité (avant impôt) des fonds investis dans les stocks est de 18 %. Selon la taille des commandes, les escomptes suivants sont accordés.

Taille de la commande	Escompte
1 à 299 unités	aucun escompte
300 à 599 unités	0,5 %
600 à 999 unités	1,25 %
1 000 unités et plus	1,75 %

Il y a plusieurs façons de gérer les activités de stockage de ce produit. On peut commander souvent pour maintenir un inventaire de petite taille. Ainsi, les besoins d'espace sont réduits. Les frais de financement sont aussi moins élevés. On peut aussi commander de grandes quantités (donc moins souvent) pour profiter des escomptes. Il faudra alors plus d'espace, et les coûts de financement seront plus importants. Le choix n'est pas facile, à moins d'effectuer quelques calculs. Voyons au tableau 4.4 comment y arriver.

Le tableau montre les coûts liés à la gestion des stocks selon cinq stratégies différentes. L'une d'elles, la deuxième, consiste à commander 300 unités à la fois, ce qui veut dire qu'il faudra passer 12 commandes pendant l'année (3 600 unités ÷ 300). La valeur des achats annuels sera de 86 400 $, soit 3 600 unités à 24 $. L'escompte accordé par le fournisseur, au taux de 0,5 %, sera de 432 $. Le coût de commande sera de 1 080 $, soit 12 commandes à 90 $ chacune. En commandant 300 unités à la fois, le stock moyen durant l'année sera de 150 unités, pour une valeur moyenne de 3 600 $. Les frais d'entreposage seront donc de 288 $ (8 % par année) et le coût d'opportunité des fonds investis dans les stocks de 648 $ (18 % par année). En additionnant les colonnes 1 à 5, on obtient un coût total de 87 984 $.

En faisant les mêmes calculs pour les autres stratégies, on découvre que le total des coûts est le plus bas lorsqu'on passe des commandes de 600 unités tous les deux mois. Commander 1 000 unités à la fois pour profiter de l'escompte de 1,75 % n'est pas souhaitable, parce que l'augmentation des coûts d'entreposage et du coût d'opportunité des fonds investis est supérieure à l'escompte accordé. La différence de coût entre la meilleure et la pire stratégie est d'environ 3 000 $. C'est un montant significatif lorsqu'on considère des achats annuels de 86 400 $.

Ce type d'analyse peut aussi servir lorsqu'on prévoit une poussée rapide du prix des matières premières.

Tableau 4.4

LA DÉTERMINATION DE LA TAILLE OPTIMALE DE COMMANDE							
Taille de la commande	Nombre de commandes	(1) Valeur des achats	(2) Escompte accordé	(3) Coût de commande	(4) Coût d'entreposage	(5) Coût d'opportunité	Coût total
100	36	86 400 $	0 $	3 240 $	96 $	216 $	89 952 $
300	12	86 400	(432)	1 080	288	648	87 984
600	6	86 400	(1 080)	540	576	1 296	87 732
1 000	3,6	86 400	(1 512)	324	960	2 160	88 332
1 800	2	86 400	(1 512)	180	1 728	3 888	90 684

Une taille de commande plus élevée permet de réduire le coût moyen des marchandises. En contrepartie, les coûts de stockage augmentent. Il y a donc similitude entre cette situation et celle où un escompte de quantité est offert. L'utilisation d'un tableur peut faciliter le calcul de la taille optimale de commande.

LES STOCKS DE SÉCURITÉ : POUR ÉVITER LES RUPTURES

Jusqu'à maintenant, nous avons considéré deux questions importantes : quels sont les articles qu'il faut contrôler ? et combien faut-il commander chaque fois ? Nous allons aborder une troisième question : quand faut-il passer la commande ? Idéalement, il faudrait recevoir la marchandise le jour même où les stocks sont épuisés. C'est un exploit difficile à réaliser, à moins que les trois conditions suivantes soient respectées.

- **Le délai de livraison de la marchandise est connu avec certitude.**
- **La demande pendant le délai de livraison est parfaitement connue.**
- **Le compte des stocks au moment de la commande est rigoureusement exact.**

Il en est rarement ainsi dans la réalité. Il y a toujours un certain degré d'incertitude, qui complique la tâche des dirigeants. Par exemple, s'il se produit un accroissement de la demande ou un retard dans la livraison, l'entreprise peut se trouver à court de stock. Il est donc important de prévoir une marge de sécurité.

On peut ramener le problème de la détermination du stock de sécurité à l'incertitude de la demande durant le délai de livraison. Pendant ce délai, le stock de sécurité doit permettre de combler en grande partie, mais pas nécessairement en totalité, les fluctuations de la demande. Par expérience, les dirigeants finissent par connaître le délai de livraison moyen et ils se font une idée des variations possibles de la demande au cours de ce délai. S'ils veulent éviter à tout prix la rupture de stock, ils passeront la commande de façon à conserver des stocks équivalent à la plus forte demande possible. Par contre, cette approche peut exiger le maintien, en temps normal, d'un stock très important.

Pour réduire le stock moyen, le gestionnaire peut envisager la possibilité d'une rupture de stock. La notion de service à la clientèle entre alors en ligne de compte. Dans certains secteurs où la concurrence est forte, l'entreprise visera à satisfaire sa clientèle dans presque tous les cas et maintiendra un stock de sécurité élevé, qui lui occasionnera des frais de stockage élevés. C'est le prix à payer pour donner un bon service. C'est le cas du domaine de la quincaillerie, par exemple. Mais dans d'autres secteurs, par exemple celui de la plomberie, où certains appareils sont coûteux à stocker, les entreprises peuvent se permettre de faire patienter leurs clients. Elles conservent des stocks de sécurité moins élevés.

Le niveau optimal du stock de sécurité dépend donc des coûts de rupture des stocks et des coûts de stockage. Il est vraisemblable de penser que les entreprises d'un secteur très concurrentiel du commerce de détail ont des coûts de rupture de stock relativement élevés. En effet, leur clientèle peut se déplacer facilement vers les concurrents. Cherchant à réduire ces coûts, elles acceptent de conserver des stocks de sécurité plus élevés. Les entreprises de fabrication où les arrêts de production occasionnent de nombreux frais, comme les entreprises de fabrication d'armoires, conserveront elles aussi des stocks de sécurité élevés de matières premières.

L'évaluation des coûts de rupture des stocks est difficile à effectuer. C'est pourquoi les dirigeants s'en tiennent souvent à leur jugement pour déterminer le stock de sécurité. Ils sont influencés par leur habitude du risque et par le comportement de leurs concurrents. Lorsque l'entreprise connaît la demande moyenne pour une période donnée et les variations possibles autour de cette moyenne, il devient possible pour elle de fixer un objectif de service à la clientèle qui déterminera le niveau des stocks de sécurité. On peut, par exemple, fixer comme objectif que le stock de sécurité permettra de répondre à la demande de 95 % des cycles de commande.

CONCLUSION

La gestion des stocks est souvent l'activité principale des entreprises, surtout de celles qui s'occupent de la distribution et de la vente au détail. Une grande partie de leur fonds de roulement est d'ailleurs utilisée pour constituer leurs stocks. Pour élaborer des politiques de gestion qui maximisent l'utilisation des ressources, le gestionnaire doit évaluer tous les coûts qui y sont rattachés. Un système d'information interne, spécifiquement développé pour la gestion des stocks, est souvent requis. Même si la dynamique est très différente d'une entreprise à l'autre, une bonne connaissance des coûts permet de cerner l'incidence financière des décisions portant sur la gestion des stocks.

BIBLIOGRAPHIE

Banque Royale, *Comment contrôler vos investissements en stocks*, 1976.

Beranek, W., « Financial Implications of Lot-Size Inventory Models », *Management Science*, avril 1967, p. B-401 à B-408.

Buchanan, J. et Koenigsberg, E., *Scientific Inventory Management*, Prentice-Hall, Englewood Cliffs (New Jersey), 1963.

Jagetia, L., « An Effective Raw Materials Inventory System », *Cost and Management*, juillet-août 1977, p. 19 à 24.

Magee, J.F., « Guides to Inventory Policy : 1. Functions and Lot-Size », *Harvard Business Review*, janvier-février 1956, p. 49 à 60.

Magee, J.F. et Meal, H.C., « Inventory Management and Standards », chap. 23 dans *Treasurer's Handbook*, Weston, J.F. et Goudzwaard, M.B. (éd.), Dow-Jones-Irwin, Homewood (Illinois), 1976.

Starr, M. et Miller, D., *Inventory Control – Theory and Practice*, Prentice-Hall, Englewood Cliffs (New Jersey), 1962.

Snyder, A., « Principles of Inventory Management », *Financial Executive*, avril 1964, p. 13 à 21.

CHAPITRE 5

LE FINANCEMENT DU FONDS DE ROULEMENT

Ce chapitre traite des différents aspects du financement. Nous parlerons d'abord des sources de capitaux, pour passer ensuite aux emprunts offerts par les institutions financières. Les sections suivantes porteront sur les garanties et les coûts réels d'un emprunt. On verra que le taux d'intérêt n'est pas le seul élément à considérer et qu'une analyse plus approfondie est nécessaire afin de comparer différentes possibilités de financement. La cinquième section traite de la préparation des dossiers de demande d'emprunt. Les règles couramment utilisées par les institutions financières pour analyser la capacité d'emprunt d'une entreprise seront expliquées dans la sixième section.

LES SOURCES DE CAPITAUX

Les sources de capitaux d'une entreprise sont variées, ce qui ne veut pas dire qu'elles soient toujours faciles à trouver. Lorsqu'une nouvelle entreprise est lancée, il arrive souvent que les propriétaires fassent appel à des parents ou à des amis pour constituer une partie du capital initial. Il leur sera proposé d'investir dans des actions ou de consentir un prêt personnel. Ces prêts peuvent être à court ou à long terme et contenir les clauses les plus diverses. Plusieurs personnes peuvent aussi s'associer pour constituer un capital initial plus important. Les sociétés à capital de risque peuvent aussi participer à la constitution du capital, en effectuant une mise de fonds sous forme d'actions ordinaires ou privilégiées, quoiqu'elles participent habituellement à l'expansion plutôt qu'au démarrage. Mentionnons parmi celles-ci Innovatec, Tremplin 2000 et le Fonds de solidarité des travailleurs du Québec.

Il existe aussi diverses sources gouvernementales ou privées de financement et de subvention. On pense à la Société de développement industrielle du Québec, à la Banque fédérale de développement, à la Société québécoise de développement de la main-d'œuvre, aux Sociétés d'aide au développement des collectivités (SADC) ou au Bureau fédéral de développement régional. Les bureaux de comptables, d'avocats et de consultants sont bien renseignés sur les sources d'aide à l'entreprise. Pour l'achat de matériel, des immeubles et des terrains, l'entreprise peut normalement obtenir du financement sur garantie auprès des institutions financières.

À moins d'avoir constitué un capital initial suffisant, les entreprises ont besoin d'autres sources de capitaux pour faire face aux cycles qui les obligent à investir temporairement dans les actifs à court terme, surtout dans les stocks et les comptes à recevoir. Le crédit obtenu auprès des fournisseurs est une première possibilité. C'est une source de financement peu coûteuse, mais encore faut-il que l'entreprise veille à établir et à maintenir sa réputation de crédit. Pour le reste, le financement à court terme provient essentiellement des banques, des caisses d'épargne et de crédit, des sociétés de financement et des firmes d'affacturage.

LES EMPRUNTS AUPRÈS DES INSTITUTIONS FINANCIÈRES

Essentiellement, les institutions financières offrent deux types de prêts : les prêts à l'exploitation et les prêts à terme. Certains de ces prêts, surtout les prêts à terme, peuvent être garantis par le gouvernement.

Les prêts à l'exploitation

Cette forme de prêt est mieux connue sous le nom de **marge de crédit**. L'entreprise s'entend avec une institution financière pour emprunter, au besoin, jusqu'à concurrence d'un montant maximal. L'intérêt est exigé mensuellement, et le taux varie selon le taux préférentiel. Habituellement, les avances sont effectuées automatiquement lorsque le compte de l'entreprise est déficitaire. Lorsque le compte contient des surplus, l'institution financière effectue un retrait au compte pour rembourser en partie ou en totalité les avances consenties. Le plus souvent, les virements correspondent exactement au montant requis pour ramener le solde à zéro. Chez certaines institutions financières, les virements sont effectués par tranches dont la taille varie avec l'importance de la limite de crédit autorisée. Ces tranches peuvent être de 500 $, 1 000 $, 5 000 $ ou plus.

L'entreprise conserve sa marge de crédit tant qu'elle respecte les conditions établies dans l'entente. Généralement, les institutions financières se réservent le droit de réviser l'accord à intervalles réguliers, souvent une fois l'an. Même si les accords de marge de crédit ne constituent pas une obligation légale de la banque de prêter, il est rare qu'une entreprise qui maintient une situation financière saine se voie refuser l'utilisation de sa marge de crédit.

Très peu d'entreprises peuvent obtenir une marge de crédit sans offrir de garanties. Il faut dire qu'en raison des caractéristiques de leur passif, constitué principalement de dépôts de particuliers, les banques et les caisses d'épargne et de crédit sont des prêteurs à faible risque. Elles exigent donc des garanties pour réduire le risque des prêts. Les garanties les plus souvent utilisées sont les comptes à recevoir, les stocks et les cautions personnelles. La marge de crédit est généralement utilisée pour combler les besoins de financement temporaires ou saisonniers d'une entreprise.

Les prêts à terme

Un prêt à terme permet un financement pour des périodes plus longues. L'échéance de ces prêts dépend de la durée de vie des biens offerts en garantie. Il sert à financer les améliorations locatives ou l'acquisition de matériel, de terrains ou d'immeubles. Le remboursement se fait habituellement par des versements mensuels, mais d'autres modalités sont possibles. Par exemple, une entreprise dont les cycles saisonniers sont importants pourrait négocier le remboursement d'un prêt par des paiements échelonnés sur les seuls mois d'été. Pour rembourser un prêt sur 10 ans, on pourrait aussi avoir deux choix : 120 paiements mensuels égaux, comprenant capital et intérêt, ou 120 remboursements de capital égaux, auxquels s'ajouteraient les paiements d'intérêt qui, eux, diminueraient à mesure que le solde du prêt se résorbe. Les prêts à terme peuvent être garantis par une hypothèque mobilière portant sur le matériel, par une hypothèque sur les immeubles ou par des cautions personnelles.

La *Loi sur les prêts aux petites entreprises*

Pour aider les entreprises à obtenir des prêts à terme pour financer l'achat ou l'amélioration d'actifs immobilisés, le gouvernement du Canada garantit certains prêts en faveur des institutions financières. Dans le jargon bancaire, on les appelle les PPE. Le montant maximum est de 250 000 $, et la durée maximale de 10 ans. Les biens admissibles sont les terrains, les immeubles, le matériel et les véhicules de transport. Comme ces prêts garantis par le gouvernement présentent moins de risques pour les prêteurs, ils offrent aux petites et moyennes entreprises un meilleur accès au financement. Le taux d'intérêt pour les prêts à taux variable ne peut excéder de plus de 1,75 % le taux préférentiel. Quant aux prêts à taux fixe, leur taux ne peut dépasser de plus de 1,75 % celui des prêts hypothécaires résidentiels. Des frais d'administration correspondant à 2 % de la valeur du prêt sont versés au gouvernement. Ce programme est accessible aux entreprises dont le chiffre d'affaires annuel est inférieur à cinq millions de dollars.

LES GARANTIES, QUELLES SONT-ELLES ?

Pour des raisons déjà évoquées, peu d'entreprises obtiennent des prêts sans offrir de garanties. Pour les prêts à l'exploitation, les garanties portent souvent sur les comptes à recevoir et les stocks. Pour les prêts à terme, on utilise l'hypothèque mobilière ou l'hypothèque en droit civil, portant sur des immeubles. Les cautions personnelles sont courantes pour les deux types de prêts.

Les comptes à recevoir

Les comptes à recevoir représentent un des actifs les plus liquides de l'entreprise et constituent par le fait même une des meilleures garanties. Le prêteur analyse la qualité des comptes à recevoir pour déterminer le montant maximum qu'il est disposé à prêter. Ce maximum peut varier entre 50 % et 75 % de la valeur des bons comptes à recevoir. Les comptes à recevoir de plus de 90 jours sont habituellement exclus, à moins que le débiteur ne soit un organisme gouvernemental. Le prêteur se préoccupe aussi du montant moyen des comptes à recevoir. Comme il doit exercer un contrôle sur les comptes offerts en garantie, ses frais seront plus élevés si le nombre de comptes à recevoir est plus grand. Une assignation « en lot » des comptes à recevoir peut être utilisée lorsque le montant moyen des comptes à recevoir est petit. Le pourcentage des avances par rapport à la valeur de la garantie peut alors se situer au-dessous de 50 %.

Un prêt garanti par les comptes à recevoir est un arrangement d'emprunt ayant un caractère de permanence. Les nouveaux comptes à recevoir remplacent ceux qui sont réglés, et la base de financement peut fluctuer. Il s'agit donc d'une source de financement flexible. Pour éviter que l'entreprise favorise indûment la croissance des ventes sans égard à la qualité des comptes à recevoir, les prêteurs fixent généralement un montant maximum qui ne peut être dépassé sans qu'une nouvelle analyse de rentabilité soit effectuée. La marge de crédit sera donc soumise à deux limites : un maximum fixé par un pourcentage déterminé des comptes à recevoir et un maximum en valeur absolue.

Les stocks

Les stocks sont aussi des actifs assez liquides pour être offerts en garantie. Comme pour les comptes à recevoir, le prêteur détermine un pourcentage pour établir le montant maximum des avances. Certains stocks, les grains par exemple, sont très liquides sur le marché. Les prêteurs accordent donc des avances pouvant aller jusqu'à 90 % de la valeur de ces stocks. Pour un stock de biens finis, le pourcentage se situe aux alentours de 50 %. Pour un stock de matières premières ou de biens en cours de fabrication, le pourcentage varie entre 20 % et 50 % du coût de remplacement. En raison de modifications législatives sur l'ordre de priorité des créanciers lors de liquidation, les institutions financières ont eu tendance à réduire ces pourcentages au cours des dernières années.

La procédure utilisée pour garantir ces prêts dépend de l'endroit où sont entreposés les stocks. S'ils sont dans un entrepôt public, géré par une société d'entreposage, celle-ci remet un certificat d'entreposage qui est le seul document accepté pour libérer la marchandise. Ce certificat sera gardé par la banque en guise de garantie. Lorsque l'entreprise désire garder les marchandises sur place, elle peut s'organiser avec une société d'entreposage, qui deviendra responsable des stocks entreposés dans une aire de stockage identifiée spécifiquement. Cette société ne libérera la marchandise que sur présentation du certificat d'entreposage.

Il faut noter que, dans l'une ou l'autre de ces situations, le certificat d'entreposage ne garantit pas la qualité de la marchandise et ne constitue pas une assurance contre le feu ou le vol. Il ne fait qu'identifier la marchandise et l'endroit où elle se trouve. Le prêteur doit donc effectuer des contrôles périodiques pour s'assurer de l'existence et de la valeur réelle des stocks offerts en garantie. Dans le cas de marchandises en transit, la banque peut exercer un contrôle en détenant la lettre de transport qui permet de libérer la marchandise.

Lorsque les stocks doivent être conservés dans une surface de vente, comme dans le cas des voitures par exemple, chaque article est identifié spécifiquement par son numéro de série. La procédure utilisée consiste à transférer la propriété des véhicules à la société de financement. Le détaillant garde les véhicules en fiducie. Lorsqu'une voiture est vendue, le produit de la vente sert à rembourser la société de financement. Le détaillant conserve sa commission. Cette forme de financement est souvent offerte par les manufacturiers ou par une de leurs filiales pour encourager les détaillants à conserver des stocks plus importants, ce qui, normalement, favorise les ventes. Parce que les manufacturiers y trouvent leur intérêt immédiat et qu'ils ont un accès plus facile au marché des capitaux, ils peuvent alors consentir des taux de financement avantageux.

Les hypothèques

Les hypothèques mobilières (auparavant le « nantissement commercial ») permettent de financer l'achat de matériel et de véhicules de transport. Le montant du prêt peut atteindre 80 % des biens hypothéqués. Pour des immeubles et des terrains, on utilise l'hypothèque en droit civil. Les institutions financières se montrent prudentes en évaluant les immeubles à vocation commerciale ou industrielle, ceux-ci étant plus difficiles à évaluer que les propriétés résidentielles. En effet, en plus de l'emplacement et de l'état de l'immeuble, la polyvalence, le potentiel de revenus de location et la conjoncture économique sont autant de facteurs qui influent sur la valeur de ces immeubles. Le pourcentage de financement accordé est donc très variable. Par ailleurs, en vertu de la *Loi sur les banques*, celles-ci ne peuvent prêter plus de 75 % de la valeur estimée d'un bien immobilier.

Les cautions personnelles

Une caution personnelle est une promesse formelle que fait une personne, au nom de l'emprunteur, de rembourser la dette si celui-ci ne la rembourse pas, comme le prévoit la convention de prêt. Les cautions personnelles des principaux actionnaires, de leur conjoint ou leur conjointe ou de leurs parents et de leurs amis sont courantes et considérés comme des indices révélateurs de l'engagement et de la confiance qu'ils ont quant au succès de l'entreprise. Lors d'une demande de financement, surtout pour une petite entreprise ayant besoin de peu de matériel et de stocks, le prêteur peut fort bien porter son attention sur les antécédents de crédit des dirigeants et exiger une liste des éléments d'actif personnel. Il s'assure ainsi de leur capacité à effectuer des paiements pour rembourser la dette. La plupart du temps, les cautions personnelles s'accompagnent de prise en garantie d'actifs personnels (maison, dépôts à terme, etc.).

LES COÛTS RÉELS D'UN EMPRUNT

Les coûts réels d'un emprunt sont constitués de plusieurs éléments, dont le plus connu est l'intérêt sur le capital. Il faut y ajouter les frais d'analyse de dossier, une pratique de plus en plus courante sur le marché. Parfois, mais c'est de moins en moins fréquent, le prêteur exige le maintien d'un solde minimum dans un compte d'opérations. Le coût d'opportunité de ces fonds est un élément du coût total d'un emprunt. Dans certains cas, l'entreprise doit payer des frais de maintien de la marge de crédit non utilisée. Cela incite les entreprises à mieux prévoir leurs besoins d'emprunt et facilite la planification pour les institutions financières. Ces frais font aussi partie du coût total d'un emprunt.

Pour les emprunts à court terme, le paiement des intérêts est exigé mensuellement. Il est cependant calculé quotidiennement en fonction du solde de l'emprunt. Souvent, le taux d'intérêt est variable et s'ajuste en fonction du taux préférentiel. Il suit donc de près l'évolution du taux d'escompte de la Banque du Canada. Lorsqu'une entreprise représente un plus grand risque, le prêteur exige une prime plus élevée. Pour les petites et moyennes entreprises, des ententes au « taux de base plus 2 % ou 3 % » sont courantes. Les entreprises qui ont les meilleures cotes de crédit ou qui présentent un potentiel commercial intéressant peuvent emprunter au « taux de base plus 1 % » ou même moins.

La capitalisation mensuelle de l'intérêt sur les emprunts à court terme a pour effet d'augmenter le taux d'intérêt effectif. Par exemple, un taux d'intérêt de 15 %, capitalisé mensuellement, représente un taux d'intérêt effectif annuel de 16 %. Le gestionnaire financier doit tenir compte de cette différence, s'il désire comparer les coûts réels d'un emprunt avec d'autres sources de financement, lorsque les méthodes de calcul des intérêts sont différentes. Les manuels de mathématiques financières expliquent comment convertir un taux d'intérêt capitalisé plus d'une fois l'an en taux effectif annuel.

Lorsque le prêteur exige des frais d'ouverture de dossier, le coût réel de l'emprunt augmente. Par exemple, si des frais d'ouverture de dossier de 2 000 $ sont exigés sur un emprunt de 200 000 $ au taux annuel de 16 %, le capital disponible se réduit à 198 000 $, même si l'intérêt est calculé sur 200 000 $. En effet, cela représente un coût d'intérêt de 32 000 $ pour un capital disponible de 198 000 $. Le coût réel du financement est donc de 16,16 %.

Certains prêteurs exigent que les dirigeants souscrivent une assurance temporaire pour garantir la viabilité de l'entreprise en cas de décès ou d'incapacité de ces personnes. Il y a évidemment des frais inhérents à l'achat de tels contrats d'assurance.

LA DEMANDE D'EMPRUNT : COMMENT PRÉPARER SON DOSSIER ?

La préparation d'un dossier de demande d'emprunt clair et complet facilite les relations entre les dirigeants et leur banquier. Ce dossier peut donner une première impression de saine gestion ou, à l'inverse, de désorganisation, qui restera gravée dans l'esprit du banquier. Plusieurs institutions financières offrent des pochettes d'information qui expliquent en détail comment établir un dossier de demande d'emprunt ou un plan d'affaires. Elles peuvent même remettre au demandeur un guide sur disquette qui peut être complété sur ordinateur.

Même si la forme de présentation d'un dossier de demande d'emprunt peut varier considérablement, les éléments ci-dessous sont très fréquents.

1. **La description du but visé par la demande de financement.**
2. **La description générale de la firme, avec un bref historique, ses produits, ses marchés, ses éléments d'actif, etc.**
3. **La direction de l'entreprise : ses antécédents, ses responsabilités et les compétences des personnes clés.**
4. **Le plan de commercialisation : les détails sur les produits, les études de marché, les réseaux de distribution, les campagnes de promotion, etc.**
5. **La description des structures juridiques et administratives de la firme.**
6. **Les états financiers récents de la firme.**
7. **Les états financiers prévisionnels : les prévisions des ventes, le budget de caisse,**

l'état prévisionnel des revenus et des dépenses, les bilans prévisionnels, le budget des immobilisations, etc.

8. **La description des diverses sources de fonds avec lesquelles le prêteur peut espérer être remboursé.**
9. **La description des autres engagements financiers et du plan global de financement.**
10. **La description des garanties pouvant être offertes.**
11. **Les renseignements généraux : numéro de téléphone de votre avocat et de votre comptable, l'adresse des dirigeants, etc.**

Le premier élément du dossier explique au prêteur l'utilisation qui sera faite des sommes empruntées. Les éléments suivants dressent une perspective de l'entreprise, en montrant les résultats obtenus dans le passé. Il faut donner assez de renseignements sur l'équipe de direction et parler de l'expérience de ses membres et des responsabilités qui leur sont confiées.

Les états financiers récents, lorsqu'on peut en fournir, sont essentiels et ajoutent de la crédibilité à la demande de financement. Cependant, cette crédibilité sera vite compromise si les dirigeants ne sont pas en mesure d'expliquer clairement tous les postes des états financiers ou des notes afférentes. Les états financiers peuvent être complétés par des graphiques ou des tableaux, qui illustrent l'évolution des éléments clés de l'exploitation. On peut montrer l'évolution des ventes par produit et leur répartition géographique, l'évolution des revenus et des dépenses, la marge d'autofinancement, etc.

Les états financiers prévisionnels permettent de démontrer au prêteur la capacité de l'entreprise à rembourser ses dettes. Ils doivent être faciles à comprendre. Trop souvent, un déluge de chiffres sert d'états financiers prévisionnels. Il est essentiel de préparer des tableaux récapitulatifs qui portent sur les éléments les plus importants, comme la marge brute, le revenu net et la marge brute d'autofinancement interne. Comme il s'agit de prévisions, il faut faire des hypothèses. Celles-ci seront inévitablement remises en question par un bon analyste. Les dirigeants doivent être en mesure d'expliquer clairement les hypothèses utilisées, de les défendre et d'évaluer le degré d'incertitude lié aux prévisions. Au besoin, on peut illustrer quelques scénarios différents.

Les derniers éléments du dossier permettent au prêteur de compléter son analyse. Il doit être informé sur les partenaires financiers de l'entreprise et pouvoir juger de la valeur des garanties offertes.

Si le prêteur juge favorablement le dossier, les détails d'un éventuel prêt seront abordés. Les conditions finales peuvent faire l'objet d'une négociation portant sur les conditions du prêt, les modalités de remboursement, les frais d'intérêt ou les autres coûts.

Pendant toute la durée du prêt, le prêteur voudra être tenu au courant de la façon dont les plans de son client se réalisent et des changements qui pourraient avoir une incidence sur l'entente en cours. Les dirigeants doivent accorder une grande importance aux communications avec leurs prêteurs. Celles-ci pavent la voie à des associations fertiles pour l'entreprise et peuvent accélérer l'étude d'une prochaine demande de financement.

L'ANALYSE DE LA CAPACITÉ D'EMPRUNT

Nous avons vu que les prêts garantis par les comptes à recevoir ou les stocks n'atteignent pas la valeur totale des garanties. Les avances sur les produits en cours de fabrication ne dépassent généralement pas 20 % à 30 % de leur valeur finale, parce qu'il est difficile de les revendre sans perte. Sur les matières premières et les produits finis, le pourcentage est plus élevé mais dépend toujours de la liquidité des marchandises. Même chose pour les comptes à recevoir : lorsqu'ils sont donnés en garantie, le prêteur ne retient qu'une partie de ceux-ci. En fin de compte, les avances consenties sont bien inférieures à la valeur des comptes à recevoir et des stocks.

Les prêteurs limitent aussi la valeur des prêts pour que certains ratios soient maintenus sous un seuil critique. Une des approches les plus courantes est d'évaluer le fonds de roulement naturel et de limiter le prêt à 50 % ou à 60 % du montant ainsi obtenu. Cela force les entreprises à financer elles-mêmes une partie du fonds de roulement par des sources internes ou une mise de fonds des actionnaires. Par exemple, une entreprise dont le bilan montre des actifs à court terme de 200 000 $ (encaisse, comptes à recevoir et stocks) et des exigibilités à court terme de 100 000 $ (comptes à payer, taxes et autres frais) pourrait avoir une capacité d'emprunt maximale de 60 000 $. La banque consentirait alors à prêter 1,50 $ pour chaque 1 $ investi par les actionnaires dans le fonds de roulement, c'est-à-dire 60 000 $ par la banque et 40 000 $ par les actionnaires.

Les prêteurs évaluent aussi le ratio d'endettement global de l'entreprise. L'analyse porte alors sur la totalité du financement. Certains prêteurs considèrent que le risque est trop élevé lorsque la valeur totale des prêts excède la valeur nette de l'entreprise, ce qui équivaut à un ratio d'endettement de 50 %. Ces ratios varient toutefois beaucoup d'un secteur d'activité à l'autre.

CONCLUSION

Pour éviter que les actionnaires aient à immobiliser des sommes trop élevées, les entreprises font généralement appel aux institutions financières pour financer une partie de leur fonds de roulement. La préparation d'un dossier de financement clair exige un effort de planification qui s'avère souvent très utile aux dirigeants. On note tout de même, chez certains, une méfiance envers les institutions financières, qu'on accuse d'un manque de compréhension de la gestion d'une entreprise, surtout lorsqu'elles imposent des conditions de crédit très strictes.

Il ne faut pas oublier que les banques et les caisses d'épargne et de crédit sont des prêteurs à faible risque. La quantité des dossiers qu'elles traitent leur donne un bon aperçu des situations possibles, ce qui leur permet d'identifier, par expérience, certains facteurs de réussite.

La reprise d'une garantie par une institution financière s'accompagne de frais (frais de liquidation, commissions, temps du personnel, frais juridiques, etc.) qui rendent vite le compte déficitaire. Une institution financière ne pourrait pas offrir des taux compétitifs aux emprunteurs et aux épargnants si elle se spécialisait uniquement dans la reprise des garanties. C'est pourquoi les banques imposent aux emprunteurs des conditions qui visent à réduire les fluctuations de revenus des entreprises auxquelles elles prêtent.

Les dirigeants ont avantage à établir des relations de confiance avec leurs prêteurs. Dans ce domaine comme dans bien d'autres, savoir entretenir de saines relations est un atout.

BIBLIOGRAPHIE

Association des banquiers canadiens, *Le financement d'une petite entreprise : sachez entretenir des relations harmonieuses avec votre banque*, Montréal, 1993.

Banque fédérale de développement, « Le financement de votre commerce de détail », brochure n° 16 de la série *Votre affaire, c'est notre affaire*, Montréal.

Banque canadienne impériale de commerce, *Guide de planification d'entreprise CIBC*.

Banque Royale, « Pour prendre un bon départ », brochure de la série *Vos affaires*, 1990.

Commission québécoise sur la capitalisation des entreprises, *Rapport de la Commission*, ministère de l'Industrie, du Commerce et du Tourisme, Québec, 1984.

Demers, R., *Le Financement de l'entreprise, aspects juridiques*, Les éditions Revue de Droit, Université de Sherbrooke, 1985.

Giddy, I.N., « International Commercial Banking », section 14 dans *Financial Handbook*, Altman, E.I. (éd.), John Wiley and Sons, New York, 1981.

Harries, B., « How Corporate Bonds and Commercial Paper are Rated », *Financial Executive*, septembre 1971, p. 30 à 36.

Le Groupe-conseil Cavanagh, conseillers en gestion, *Financement et subventions*, Rimouski, 1994.

Lusztig, P. et Schwab, B., *Managerial Finance in a Canadian Setting*, 4e édition, chap. 17, Butterworths, Toronto, 1988.

Nadler, P., « Compensating Balances and the Prime at Twilight », *Harvard Business Review*, janvier-février 1972, p. 112 à 130.

Sarpkaya, S., *The Money Market in Canada*, Butterworths, Toronto, 1980.

Stone, B.K., « The Costs of Bank Loans », *Journal of Financial and Quantitative Analysis*, décembre 1972, p. 2077 à 2086.

Van Horne, J.C., *Financial Management and Policy*, 3e édition, chap. 21, Prentice-Hall Inc., Englewood Cliffs (New Jersey), 1974.

Wood Gundy Securities Ltd., *The Canadian Money Market*, Toronto, 1969.

CHAPITRE 6

LA PLANIFICATION FINANCIÈRE : UN OUTIL POUR LA GESTION DU FONDS DE ROULEMENT

Chaque fois qu'une politique de gestion du fonds de roulement est modifiée, les besoins de financement de l'entreprise peuvent changer. L'objectif de ce chapitre est de présenter certains outils de planification financière, qui serviront à évaluer l'impact sur la gestion du fonds de roulement des décisions prises par les dirigeants.

La première partie porte sur la planification financière. Nous traiterons ensuite des techniques de prévision des ventes, sur lesquelles reposent les budgets financiers. À l'aide d'un exemple, celui de l'entreprise Gazup inc., toutes les étapes de la préparation d'états financiers prévisionnels, dont les plus importants sont l'état prévisionnel des revenus et des dépenses et le budget de caisse, seront expliquées. Ce dernier fera d'ailleurs l'objet d'une attention particulière, parce qu'il constitue le meilleur outil d'évaluation des politiques de gestion du fonds de roulement.

LES BIENFAITS DE LA PLANIFICATION FINANCIÈRE

La planification est au cœur de la gestion de l'entreprise. Elle consiste à établir des objectifs et à choisir les stratégies et les moyens appropriés pour les atteindre. Généralement, l'exercice de planification est résumé dans un document, le plan, grâce auquel les dirigeants peuvent guider l'entreprise vers l'atteinte des objectifs fixés. Lorsque le plan est accompagné de budgets détaillés, ils disposent alors de points de repère qui leur permettent de vérifier l'atteinte des objectifs.

La planification financière occupe une place de choix dans le processus de planification de l'entreprise. Elle permet de préciser les actions que l'entreprise devra entreprendre, en matière d'investissement et de financement, pour réaliser son plan. Elle traduit aussi en termes financiers tous les autres aspects du plan de l'entreprise. À court terme, la planification financière porte principalement sur les besoins en fonds de roulement. Elle indique à quel moment l'entreprise devra augmenter son fonds de roulement et de quelle façon ses besoins de capitaux pourront être comblés. À long terme, elle porte sur la politique de dividendes, le renouvellement des actifs à long terme, les besoins de financement à long terme, les acquisitions et les nouveaux investissements.

Le résultat de la planification financière est la production d'états financiers prévisionnels. Il y en a trois : le bilan prévisionnel, l'état prévisionnel des revenus et dépenses et le budget de caisse (ou budget de trésorerie). Ce dernier est une prévision des entrées et des sorties de fonds au cours d'une certaine période de temps. Il contient des renseignements précieux sur l'évolution de la liquidité de l'entreprise.

La figure 6.1 illustre les étapes successives de la préparation des états financiers prévisionnels. D'abord, il faut estimer les ventes au cours de la période choisie, afin de prévoir les revenus. Ensuite, il faut prévoir les

Figure 6.1

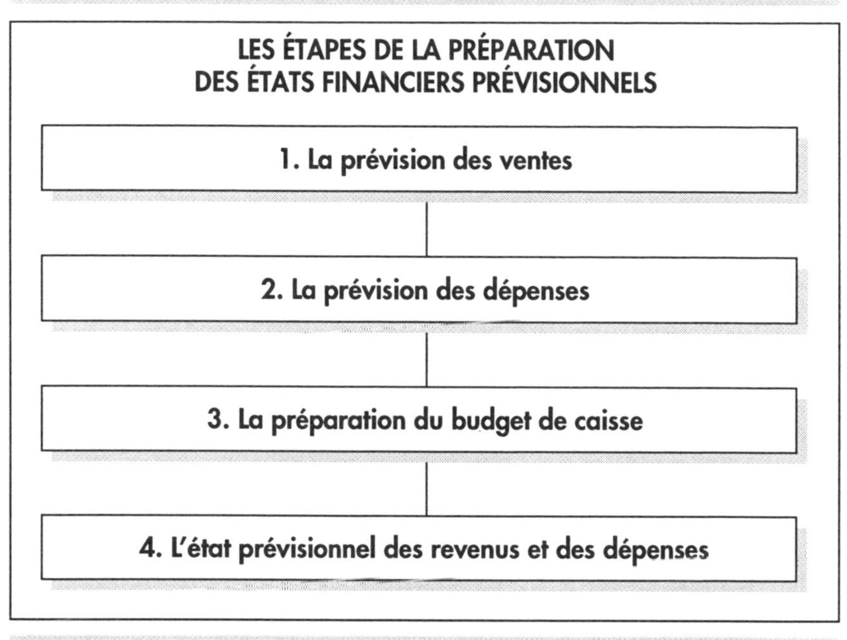

dépenses. Ces renseignements servent alors à dresser le budget de caisse et l'état prévisionnel des revenus et des dépenses.

C'est avec ces états financiers prévisionnels, souvent appelés budgets, que les dirigeants peuvent fixer des objectifs de performance. L'écart entre les résultats réels et les montants prévus au budget devient alors un critère d'analyse de la performance.

LES TECHNIQUES DE PRÉVISION DES VENTES

Tous les modèles de planification financière ont comme point de départ la prévision des ventes. La planification de la production, l'engagement du personnel, l'achat des matières premières et les besoins en fonds de roulement dépendent tous des ventes. Une augmentation des ventes entraîne une augmentation des actifs, laquelle fait augmenter les besoins de financement. Plus la croissance est grande, plus les besoins de financement externe augmentent. Pour les PME, dont l'accès au marché des capitaux est plus restreint, c'est une réalité qui peut même freiner leur développement.

L'effet d'une variation des ventes est évident sur les actifs à court terme. Si une augmentation des ventes est prévue, il faudra penser à augmenter les stocks de matières premières pour supporter une plus grande production. Les stocks de produits finis augmenteront aussi. Lorsque les ventes seront réalisées, cela fera augmenter les comptes à recevoir. L'effet à long terme est moins direct, mais il est semblable. Si une entreprise veut doubler ses ventes d'ici cinq ans, on comprend facilement qu'elle devra augmenter sa capacité de production, en investissant dans des actifs à long terme (immeubles, machinerie, terrain, etc.).

Prévoir les ventes d'une entreprise est une tâche parfois difficile. En effet, plusieurs variables liées aux ventes sont indépendantes de la volonté du gestionnaire, comme la réaction des concurrents, le taux d'inflation, les cycles économiques, le revenu disponible des ménages, les taux d'intérêt, le prix des produits substituts, etc.

On peut classer les méthodes de prévision des ventes en deux catégories : les méthodes quantitatives et les méthodes qualitatives. Les méthodes qualitatives consistent à utiliser les opinions des dirigeants, d'experts ou de vendeurs pour formuler des hypothèses sur le montant futur des ventes. Ces personnes doivent posséder une bonne connaissance des produits et des marchés. Une façon simple de procéder consiste à faire une synthèse des prévisions de chaque membre d'un groupe d'experts, pour produire une prévision unique. C'est une méthode qui exige un minimum de données et qui est peu coûteuse. Par contre, on obtient une prévision peu détaillée. Les méthodes qualitatives sont donc souvent utilisées de concert avec des méthodes quantitatives, qui fourniront plus de détails sur les cycles saisonniers ou la répartition des ventes par produit.

Les méthodes quantitatives analysent des tendances du passé. Elles utilisent des modèles mathématiques qui doivent être alimentés par des données statistiques. Certaines de ces méthodes sont coûteuses ou même inaccessibles à certaines entreprises, faute de données ou de ressources. Parmi ces méthodes, citons l'analyse des séries chronologiques et les modèles de régression.

Afin d'illustrer une méthode de prévision simple, basée sur l'analyse d'une série chronologique, la figure 6.2 présente un graphique des ventes de l'entreprise Gazup inc., spécialisée dans l'embouteillage de boissons

Figure 6.2

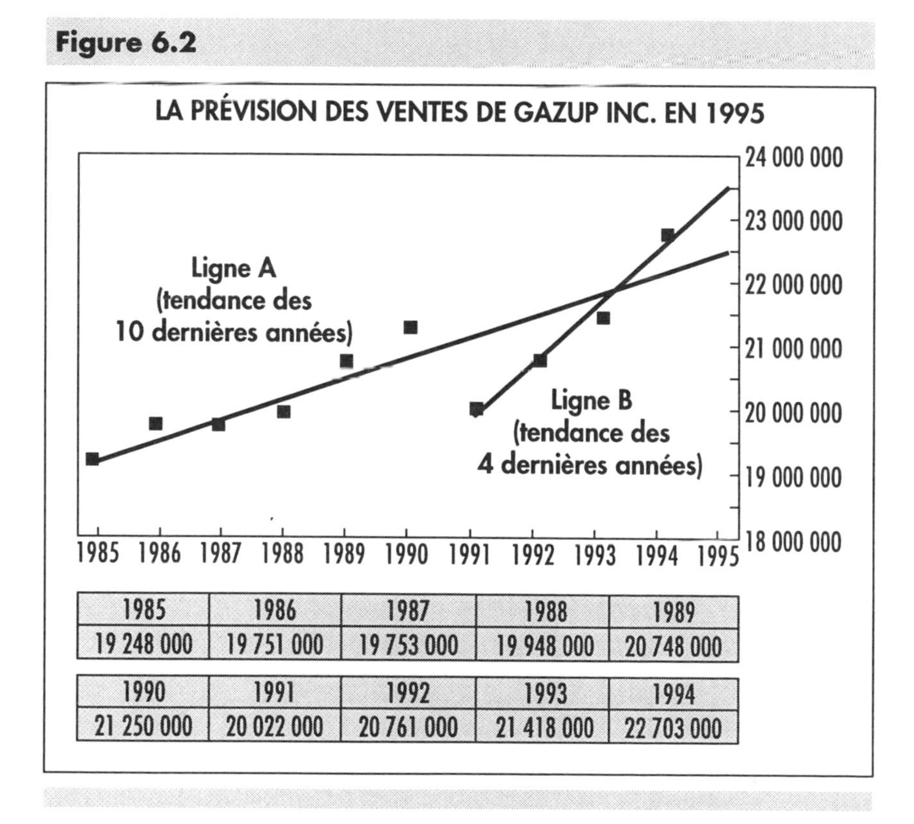

1985	1986	1987	1988	1989
19 248 000	19 751 000	19 753 000	19 948 000	20 748 000

1990	1991	1992	1993	1994
21 250 000	20 022 000	20 761 000	21 418 000	22 703 000

gazeuses. Deux lignes de tendance sont tracées. La première, la ligne A, utilise les données des 10 dernières années. La deuxième, la ligne B, utilise celles des quatre dernières années. Ces lignes se prolongent pour fournir une prévision de l'année 1995. On obtient 22 400 000 $ avec la ligne A et 23 450 000 $ avec la ligne B.

La première prévision repose sur l'hypothèse que la tendance des 10 dernières années représente bien l'évolution future des ventes. La deuxième accorde plus d'importance à l'évolution des ventes au cours des quatre dernières années et ne tient pas compte des années précédentes. S'il est impossible de déterminer laquelle des deux hypothèses est la meilleure, on peut cependant considérer la première comme étant pessimiste et la deuxième, optimiste. Tout est une question de point de vue !

Pour la préparation du budget de caisse et des états financiers prévisionnels, que nous aborderons bientôt, nous utiliserons le chiffre 23 000 000 $ comme prévision des ventes en 1995. Ce montant se situe entre la prévision optimiste et la prévision pessimiste.

Lorsqu'on dispose d'une prévision des ventes annuelles, il faut ensuite répartir ces ventes sur chaque mois de l'année. Une méthode couramment utilisée consiste à multiplier le pourcentage historique des ventes annuelles réalisé dans chacun des mois, par la prévision des ventes annuelles. Les données sur les ventes des dernières années sont alors utilisées. Le tableau 6.1 illustre cette méthode.

Comme les ventes du mois de janvier représentent habituellement 5 % des ventes annuelles, on obtient une estimation de 1 150 000 $ pour janvier 1995, soit 5 % de 23 000 000 $. On constate que dans le commerce des boissons gazeuses il y a un cycle saisonnier assez prononcé.

Dans le cas d'un nouveau produit, pour lequel on ne dispose pas de données historiques ou pour une

Tableau 6.1

LA PRÉVISION DES VENTES MENSUELLES DE GAZUP INC. EN 1995		
Mois	**% réalisé dans le mois**	**Ventes du mois**
Janvier	5 %	1 150 000 $
Février	3	690 000
Mars	4	920 000
Avril	5	1 150 000
Mai	7	1 610 000
Juin	11	2 530 000
Juillet	12	2 760 000
Août	13	2 990 000
Septembre	12	2 760 000
Octobre	11	2 530 000
Novembre	9	2 070 000
Décembre	8	1 840 000
Total	**100 %**	**23 000 000 $**

nouvelle entreprise, on peut utiliser d'autres sources de renseignements, comme les statistiques publiées par Statistique Canada sur les ventes mensuelles des grands magasins ou les données tirées de revues spécialisées. On peut ainsi se faire une idée des cycles saisonniers.

L'INFORMATION REQUISE POUR LA PRÉPARATION D'UN BUDGET DE CAISSE

En plus d'une prévision des ventes, plusieurs renseignements sont requis pour préparer les états financiers prévisionnels d'une entreprise. En voici quelques-uns.

1. **Certains ratios, qui permettront d'évaluer les postes de dépense. Les états financiers**

récents, lorsqu'ils sont disponibles, sont d'une grande utilité.

2. **De l'information sur la dette de l'entreprise, qui permettra de déterminer les dépenses d'intérêt et le coût de remboursement du capital.**

3. **De l'information sur les profils de perception des ventes et les profils de déboursement des dépenses.**

4. **Des renseignements divers, comme le taux d'imposition, la politique de versement de dividendes, les ententes de crédit bancaire, l'amortissement des immobilisations, les acquisitions prévues, etc.**

La notion de profil de perception a été expliquée au chapitre 4. Rappelons qu'un profil d'encaissement des ventes de « 20, 80 » signifie qu'en moyenne 20 % du montant des ventes réalisées au cours d'un mois seront encaissées dans ce même mois et 80 % dans le mois suivant. Ce profil dépend en fait de la vitesse à laquelle les clients ont l'habitude d'acquitter leurs factures. Une entreprise qui accorde les conditions de crédit « net 60 » pourrait ainsi obtenir un profil d'encaissement de « 10, 10, 80 ».

La notion de **profil de déboursement** est similaire. Elle dépend des politiques de l'entreprise en ce qui concerne le paiement de ses propres dépenses. Les états financiers d'une entreprise ne permettent pas d'évaluer directement les profils de perception et de déboursement. Une connaissance approfondie des habitudes des clients et des politiques de l'entreprise est donc nécessaire.

Lorsque les renseignements précédents sont réunis, ce qui constitue parfois une tâche ardue, il devient alors possible de préparer les états financiers prévisionnels. À première vue, la quantité de renseignements nécessaire provoque une réaction défensive. Comment s'y retrouver? Cependant, les dirigeants dynamiques savent qu'il n'y a pas de résultats concluants sans efforts soutenus !

À partir de ces renseignements et des plus récents états financiers de Gazup inc., présentés aux tableaux 6.2, 6.3 et 6.4, nous pouvons maintenant préparer le budget de caisse de cette entreprise pour l'année 1995. La période de prévision sera d'un an.

Tableau 6.2

DES RENSEIGNEMENTS SUR LES ENCAISSEMENTS, LES DÉBOURSEMENTS ET LA DETTE DE GAZUP INC.

1. **La perception des ventes** : toutes les ventes sont conclues sur une base de crédit de 30 jours. On constate qu'à peu près 20 % des ventes sont perçues au cours du mois de la vente et 80 % au cours du mois suivant. Les mauvaises créances sont peu élevées et peuvent être ignorées dans la préparation des états financiers prévisionnels.
2. **La politique d'achat** : pour s'adapter aux cycles saisonniers de l'entreprise, le directeur planifie les achats en prévision des ventes qui surviendront deux mois plus tard. Le montant des achats de matières premières représente 47,4 % des ventes, et le paiement des achats est effectué 60 jours après la livraison.
3. **Les dépenses de main-d'œuvre** : l'entreprise tente d'ajuster le nombre d'heures travaillées au niveau des ventes. En 1994, les salaires de la main-d'œuvre directe représentaient 19,6 % des ventes. Environ 75 % de ces dépenses sont payées dans le mois courant et 25 % dans le mois suivant.
4. **Les dépenses d'expédition et de vente** : l'entreprise fait appel à des transporteurs privés et paie des commissions à ses vendeurs. En 1994, ces dépenses représentaient respectivement 12,2 % et 11,0 % du montant des ventes ; 25 % du montant des dépenses est payé le même mois et 75 % le mois suivant.
5. **Les frais de location, les dépenses d'administration et l'amortissement** : on ne prévoit aucune augmentation de ces dépenses par rapport aux montants de 1994, sauf pour l'amortissement,

Tableau 6.2 (suite)

qui passera à 675 000 $, en raison des investissements effectués en 1994. Ces dépenses sont réparties de façon égale au cours de l'année.

6. **Les impôts** : le taux d'imposition sur les bénéfices se situe à 46 %. Un versement de 77 736 $ est dû le 15 janvier pour le dernier trimestre de 1994. Des versements anticipés de 79 000 $ sont dus les 15 avril, 15 juillet et 15 octobre.
7. **Les dividendes** : depuis novembre 1994, l'entreprise paie un dividende annuel de 0,50 $ par action ordinaire, qu'elle verse en deux parties, le 15 mai et le 15 novembre. Il y a 800 000 actions ordinaires émises.
8. **Les dépenses d'intérêt et de remboursement de capital** : en 1994, l'entreprise a emprunté 765 630 $. L'intérêt, de 12 %, est payable le 31 mars et le 31 septembre. Le capital arrive à l'échéance en 1999. Une autre dette, contractée en 1986, vient à l'échéance en 2006. L'entreprise rembourse le capital par des versements égaux de 218 468 $, le 31 mars de chaque année. L'intérêt, de 9,6 %, est exigible à la même date. Au 31 décembre 1994, le solde de cette dette (incluant la portion exigible à court terme) est de 2 621 616 $. Le solde des deux emprunts est donc de 3 387 246 $. Une portion de 218 468 $ est exigible avant un an et la différence, 3 168 778 $, est inscrite au bilan comme dette à long terme.
9. **La marge de crédit** : l'entreprise utilise au besoin une marge de crédit. L'intérêt, au taux de 1,25 % par mois, est payable mensuellement.
10. **L'encaisse minimale requise** : pour tenir compte de l'incertitude reliée aux prévisions, on fixera comme objectif une encaisse minimale requise de 200 000 $.

Tableau 6.3

LE BILAN DE GAZUP INC. AU 31 DÉCEMBRE 1994		
ACTIF	**1993**	**1994**
Actif à court terme		
Encaisse	62 389 $	191 989 $
Comptes à recevoir	1 628 782	1 498 929
Stocks	1 414 104	1 397 248
Frais payés d'avance	15 004	22 312
Total des actifs à court terme	**3 120 279 $**	**3 110 478 $**
Immobilisations au coût		
Terrains	712 614 $	712 614 $
Bâtiments	6 001 264	6 781 823
Matériel	6 035 884	6 617 295
Équipement de transport	528 291	528 291
	13 278 053 $	14 640 023 $
MOINS		
Amortissement accumulé	(6 842 113)$	(7 492 113)$
Immobilisations nettes	**6 435 940 $**	**7 147 910 $**
Actif total	**9 556 219 $**	**10 258 388 $**
PASSIF	**1993**	**1994**
Passif à court terme		
Emprunts à court terme	0 $	0 $
Comptes à payer	921 436	882 444
Salaires	92 460	88 997
Impôts	81 391	77 736
Intérêts à payer	204 486	211 725
Autres frais à payer	314 695	316 029
Dettes exigibles	218 468	218 468
Total du passif à court terme	**1 832 936 $**	**1 795 399 $**
Dettes à long terme	**2 621 616 $**	**3 168 778 $**
Avoir des actionnaires		
Actions ordinaires	80 000	80 000
Surplus d'apport	560 000	560 000
Bénéfices non répartis	4 461 667	4 654 211
Total de l'avoir des actionnaires	**5 101 667 $**	**5 294 211 $**
Passif total	**9 556 219 $**	**10 258 388 $**

Tableau 6.4

L'ÉTAT DES REVENUS ET DES DÉPENSES DE GAZUP INC., DU 1er JANVIER AU 31 DÉCEMBRE 1994			
	1993	**1994**	**%**
Ventes	**21 418 202 $**	**22 703 229 $**	
Escompte	0 $	0 $	0
Coût des matières premières	(9 852 377)	(10 761 330)	47,4
Main-d'œuvre directe	(4 382 437)	(4 447 584)	19,6
Bénéfices bruts	**7 183 388 $**	**7 494 315 $**	**33,0**
Frais de vente	(2 248 911)$	(2 497 355)$	11,0
Frais de livraison	(2 655 767)	(2 778 404)	12,2
Frais de location	(102 300)	(102 300)	0,5
Dépenses d'administration	(533 345)	(459 436)	2,0
Amortissement	(577 000)	(650 000)	2,9
Bénéfices d'exploitation	**1 066 065 $**	**1 006 820 $**	**4,4**
Frais d'intérêt	(277 891)	(279 887)	1,2
Bénéfices avant impôt	**788 174 $**	**726 933 $**	**3,2**
Impôt	(362 560)	(334 389)	1,5
Bénéfices nets	**425 614 $**	**392 544 $**	**1,7**

LA PRÉPARATION DU BUDGET DE CAISSE

Le principe le plus important de la construction d'un budget de caisse est la chronologie des entrées et des sorties d'encaisse. Il s'agit, en fin de compte, de préparer une prévision des encaissements et des déboursements de l'entreprise pour chaque mois. Le budget de caisse est souvent préparé pour une période de six mois ou d'un an. Il diffère de l'état prévisionnel des revenus et des dépenses parce qu'il porte sur les encaissements et les déboursements. Il est important de bien saisir la distinction entre, d'une part, les revenus et les dépenses et, d'autre part, les encaissements et les déboursements.

Voyons d'abord la différence entre un revenu et un encaissement. Les ventes produisent la majeure partie des revenus et des encaissements d'une entreprise. Ainsi, les ventes de 1 150 000 $, prévues en janvier 1995 pour Gazup inc., seront comptabilisées comme un revenu réalisé pendant le mois de janvier. Par contre, elles ne produiront un encaissement que lorsque les acheteurs auront expédié leurs chèques et que l'entreprise les aura encaissés. C'est le profil d'encaissement qui permet de prévoir les encaissements par rapport aux ventes. Avec un profil d'encaissement de « 20, 80 », 230 000 $ seront encaissés en janvier et 920 000 $ en février. Les encaissements totaux de février seront le résultat de ventes réalisées en janvier et en février. Il en sera de même pour les mois suivants.

La différence entre un déboursement et une dépense est semblable. Ce n'est que lorsque le compte de l'entreprise est débité du montant d'un chèque fait à l'ordre d'un fournisseur que la dépense donne lieu à un déboursement.

Certaines dépenses ne donnent pas lieu à des déboursements. C'est le cas de l'amortissement et de l'impôt reporté, qui sont des dépenses en termes comptables, mais qui n'impliquent pas de déboursements. Par contre, certaines transactions peuvent donner lieu à des encaissements ou à des déboursements sans être comptabilisées comme revenus ou dépenses. C'est le cas lorsque l'entreprise reçoit le montant d'un emprunt qu'elle a contracté ou lorsqu'elle rembourse le capital sur sa dette. Lorsqu'une entreprise acquiert du matériel, il y a un déboursement important dans l'année en cours qui, dans l'état des revenus et des dépenses, est étalé sur plusieurs années dans le poste « amortissement ».

Le développement des conventions comptables conduit à de telles distinctions. Il est normal de répartir une dépense en immobilisation sur sa durée de vie utile, lorsqu'on veut étudier la rentabilité de l'entreprise chaque année. Cependant, les encaissements et les déboursements déterminent l'encaisse ou les besoins de crédit bancaire. Le gestionnaire ne peut pas utiliser l'état prévisionnel des revenus et des dépenses pour prévoir le volume d'encaisse. Même si on prévoit un bénéfice net à l'état prévisionnel des revenus et des dépenses, il se peut que l'entreprise soit en déficit de liquidité pendant certains mois de l'année. Seul le budget de caisse permet de le savoir.

Le tableau 6.5 présente un résumé des hypothèses qui serviront à préparer le budget de caisse de Gazup inc. pour les 12 mois de 1995. Entre parenthèses, on indique d'où provient l'information utilisée. La première partie du tableau résume les hypothèses nécessaires à la prévision des revenus et des dépenses. Certaines dépenses sont fixes : elles ne dépendent pas des ventes. Ce sont les frais d'administration et les frais de location. Les autres dépenses sont variables et donc exprimées en pourcentage des ventes. Une autre partie du tableau porte sur les profils d'encaissement et de déboursement. Le taux d'intérêt sur la marge de crédit, l'encaisse au début de la période couverte, de même que l'encaisse minimale que l'entreprise désire maintenir sont aussi fournis.

À partir de ces hypothèses de travail, on peut prévoir les encaissements et les déboursements pour chaque mois de 1995 sur une feuille de travail. Cela est présenté au tableau 6.6. Dans la première partie du tableau, le cycle saisonnier des ventes de l'entreprise est reproduit, et les encaissements prévus pour les ventes de chaque mois sont calculés et inscrits en face du mois de l'encaissement. Par exemple, 20 % du montant des ventes de janvier est perçu dans le mois de la vente, c'est-à-dire 230 000 $, et 80 % dans le mois suivant, soit 920 000 $. On procède de la même façon pour les autres mois.

La suite du tableau porte sur les déboursements. En vertu de la politique de l'entreprise, qui consiste à

Tableau 6.5

DES HYPOTHÈSES DE TRAVAIL POUR LA PRÉPARATION DU BUDGET DE CAISSE DE GAZUP INC.			
Les prévisions :			
– des ventes annuelles (fig. 6.2) ;			23 000 000 $
– des frais d'administration (tabl. 6.2, n° 5) ;			459 436
– des frais de location (tabl. 6.2, n° 5).			102 300
Le montant des dépenses en % des ventes en :			
– matières premières (tabl. 6.2, n° 2) ;			47,4 %
– main-d'œuvre directe (tabl. 6.2, n° 3) ;			19,6
– frais de ventes (tabl. 6.2, n° 4) ;			11,0
– frais de livraison (tabl. 6.2, n° 4).			12,2
Le profil d'encaissement et de déboursement :			
	mois 0	**mois 1**	**mois 2**
– des ventes (tabl. 6.2, n° 1) ;	20 %	80 %	
– des achats (tabl. 6.2, n° 2) ;	0	0	100 %
– des salaires (tabl. 6.2, n° 3) ;	75	25	
– des frais de ventes (tabl. 6.2, n° 4) ;	25	75	
– des frais de livraison (tabl. 6.2, n° 4).	25	75	
D'autres hypothèses			
Encaisse au début (tabl. 6.3)			191 989 $
Encaisse minimale requise (tabl. 6.2, n° 10)			200 000 $
Taux d'intérêt sur la marge de crédit (tabl. 6.2, n° 9)			1,25 % par mois
Taux d'imposition des bénéfices (tabl. 6.2, n° 6)			46 %

acheter 60 jours à l'avance, les achats de matières premières en novembre seront de 545 100 $, soit 47,4 % du montant des ventes prévues en janvier 1995. Le déboursement relatif à cet achat sera effectué en janvier, puisque l'entreprise profite au maximum de la période de crédit de 60 jours accordée par ses fournisseurs. Les déboursements pour les autres catégories de dépenses sont répartis de la même manière sur chacun des mois.

Tableau 6.6

LA FEUILLE DE TRAVAIL POUR LA PRÉPARATION

MOIS **% des ventes annuelles**	**Novembre** **9 %**	**Décembre** **8 %**	**Janvier** **5 %**	**Février** **3 %**	**Mars** **4 %**	**Avril** **5 %**
VENTES	2 043 290	1 816 258	1 150 000	690 000	920 000	1 150 000
Encaissées dans le mois 0	408 658	363 252	230 000	138 000	184 000	230 000
Encaissées dans le mois 1		1 634 632	1 453 006	920 000	552 000	736 000
Encaissées dans le mois 2		0	0	0	0	0
ENCAISSEMENT TOTAL			1 683 006	1 058 000	736 000	966 000
ACHATS DE MATIÈRES PREMIÈRES	545 100	327 060	436 080	545 100	763 140	1 199 220
Déboursés dans le mois 0	0	0	0	0	0	0
Déboursés dans le mois 1		0	0	0	0	0
Déboursés dans le mois 2			545 100	327 060	436 080	545 100
Déboursés dans le mois 3				0	0	0
DÉBOURSEMENT TOTAL			545 100	327 060	436 080	545 100
MAIN-D'ŒUVRE DIRECTE	400 485	355 987	225 400	135 240	180 320	225 400
Déboursés dans le mois 0	300 364	266 990	169 050	101 430	135 240	169 050
Déboursés dans le mois 1		100 121	88 997	56 350	33 810	45 080
DÉBOURSEMENT TOTAL			258 047	157 780	169 050	214 130
FRAIS DE VENTES	224 762	199 788	126 500	75 900	101 200	126 500
Déboursés dans le mois 0	56 190	49 947	31 625	18 975	25 300	31 625
Déboursés dans le mois 1		168 571	149 841	94 875	56 925	75 900
DÉBOURSEMENT TOTAL			181 466	113 850	82 225	107 525
FRAIS DE LIVRAISON	249 281	221 583	140 300	84 180	112 240	140 300
Déboursés dans le mois 0	62 320	55 396	35 075	21 045	28 060	35 075
Déboursés dans le mois 1		186 961	166 188	105 225	63 135	84 180
DÉBOURSEMENT TOTAL			201 263	126 270	91 195	119 255
FRAIS DE LOCATION			8 525	8 525	8 525	8 525
FRAIS D'ADMINISTRATION			38 286	38 286	38 286	38 286

U BUDGET DE CAISSE DE GAZUP INC.

Mai 7 %	Juin 11 %	Juillet 12 %	Août 13 %	Septembre 12 %	Octobre 11 %	Novembre 9 %	Décembre 8 %	Total 100 %
610 000	2 530 000	2 760 000	2 990 000	2 760 000	2 530 000	2 070 000	1 840 000	23 000 000
322 000	506 000	552 000	598 000	552 000	506 000	414 000	368 000	
920 000	1 288 000	2 024 000	2 208 000	2 392 000	2 208 000	2 024 000	1 656 000	
0	0	0	0	0	0	0	0	
242 000	1 794 000	2 576 000	2 806 000	2 944 000	2 714 000	2 438 000	2 024 000	22 981 006
308 240	1 417 260	1 308 240	1 199 220	981 180	872 160	545 100	327 060	10 902 000
0	0	0	0	0	0	0	0	
0	0	0	0	0	0	0	0	
763 140	1 199 220	1 308 240	1 417 260	1 308 240	1 199 220	981 180	872 160	
0	0	0	0	0	0	0	0	
763 140	1 199 220	1 308 240	1 417 260	1 308 240	1 199 220	981 180	872 160	10 902 000
315 560	495 880	540 960	586 040	540 960	495 880	405 720	360 640	4 508 000
236 670	371 910	405 720	439 530	405 720	371 910	304 290	270 480	
56 350	78 890	123 970	135 240	146 510	135 240	123 970	101 430	
293 020	450 800	529 690	574 770	552 230	507 150	428 260	371 910	4 506 837
177 100	278 300	303 600	328 900	303 600	278 300	227 700	202 400	2 530 000
44 275	69 575	75 900	82 225	75 900	69 575	56 925	50 600	
94 875	132 825	208 725	227 700	246 675	227 700	208 725	170 775	
139 150	202 400	284 625	309 925	322 575	297 275	265 650	221 375	2 528 041
196 420	308 660	336 720	364 780	336 720	308 660	252 540	224 480	2 806 000
49 105	77 165	84 180	91 195	84 180	77 165	63 135	56 120	
105 225	147 315	231 495	252 540	273 585	252 540	231 495	189 405	
154 330	224 480	315 675	343 735	357 765	329 705	294 630	245 525	2 803 828
8 525	8 525	8 525	8 525	8 525	8 525	8 525	8 525	102 300
38 286	38 286	38 286	38 286	38 286	38 286	38 286	38 286	459 436

Tableau 6.7

LE BUDGET DE CAISSE DE GAZU					
MOIS	**Janvier**	**Février**	**Mars**	**Avril**	**Ma**
ENCAISSEMENTS					
Encaissements des ventes	1 683 006	1 058 000	736 000	966 000	1 242 00
Autres encaissements	0	0	0	0	
ENCAISSEMENT TOTAL	1 683 006	1 058 000	736 000	966 000	1 242 00
DÉBOURSEMENTS					
Achats	545 100	327 060	436 080	545 100	763 14
Main-d'œuvre directe	258 047	157 780	169 050	214 130	293 02
Frais de ventes	181 466	113 850	82 225	107 525	139 15
Frais de livraison	201 263	126 270	91 195	119 255	154 33
Frais de location	8 525	8 525	8 525	8 525	8 52
Frais d'administration	38 286	38 286	38 286	38 286	38 28
Intérêt sur la dette à long terme	0	0	297 613	0	
Intérêt sur la marge de crédit	0	0	0	0	1 25
Remboursements de capital	0	0	218 468	0	
Paiements d'impôts	77 736	0	0	79 000	
Paiements de dividendes	0	0	0	0	200 00
Autres déboursements	0	0	0	0	
DÉBOURSEMENT TOTAL	1 310 423	771 771	1 341 442	1 111 821	1 597 70
SURPLUS (DÉFICIT) DE LIQUIDITÉ	372 584	286 229	(605 442)	(145 821)	(355 70
Liquidité au début du mois	191 989	564 573	850 801	245 359	99 53
Surplus (déficit) de liquidité	372 584	286 229	(605 442)	(145 821)	(355 70
Liquidité à la fin du mois	564 573	850 801	245 359	99 538	(256 17
Encaisse minimale requise	200 000	200 000	200 000	200 000	200 00
BESOIN D'EMPRUNT		0	0	100 462	456 17
BESOIN D'EMPRUNT MAXIMAL	791 583				
ENCAISSE À LA FIN DE L'ANNÉE	552 029				

NC. POUR L'ANNÉE 1995

Juin	Juillet	Août	Septembre	Octobre	Novembre	Décembre	Total
794 000	2 576 000	2 806 000	2 944 000	2 714 000	2 438 000	2 024 000	22 981 006
0	0	0	0	0	0	0	0
794 000	2 576 000	2 806 000	2 944 000	2 714 000	2 438 000	2 024 000	22 981 006
199 220	1 308 240	1 417 260	1 308 240	1 199 220	981 180	872 160	10 902 000
450 800	529 690	574 770	552 230	507 150	428 260	371 910	4 506 837
202 400	284 625	309 925	322 575	297 275	265 650	221 375	2 528 041
224 480	315 675	343 73	357 765	329 705	294 630	245 525	2 803 828
8 525	8 525	8 525	8 525	8 525	8 525	8 525	102 300
38 286	38 286	38 286	38 286	38 286	38 286	38 286	459 436
0	0	0	45 938	0	0	0	343 551
5 702	9 895	9 869	8 574	4 800	1 675	0	41 770
0	0	0	0	0	0	0	218 468
0	79 000	0	0	79 000	0	0	314 736
0	0	0	0	0	200 000	0	400 000
0	0	0	0	0	0	0	0
129 413	2 573 936	2 702 370	2 642 133	2 463 962	2 218 206	1 757 781	22 620 967
335 413)	2 064	103 630	301 867	250 038	219 794	266 219	
256 170)	(591 583)	(589 519)	(485 889)	(184 022)	66 016	285 810	
335 413)	2 064	103 630	301 867	250 038	219 794	266 219	
591 583)	(589 519)	(485 889)	(184 022)	66 016	285 810	552 029	
200 000	200 000	200 000	200 000	200 000	200 000	200 000	
791 583	789 519	685 889	384 022	133 984	0	0	

Les encaissements et les déboursements calculés sur la feuille de travail sont ensuite reportés au budget de caisse présenté au tableau 6.7. On y ajoute tous les autres encaissements provenant de la vente d'actifs à long terme ou d'un emprunt, de même que les déboursements occasionnés par les paiements d'intérêt, les remboursements de capital, les paiements d'impôts, les paiements de dividendes et les autres déboursements, s'il y a lieu (achats de matériel, placements, etc.).

Le budget de caisse comprend donc tous les encaissements et les déboursements prévus pour chacun des mois de l'année. Certains mois présentent des surplus de liquidité, puisque les encaissements dépassent les déboursements. D'autres présentent des déficits. La partie inférieure du budget de caisse montre l'évolution des liquidités de Gazup inc. On obtient la liquidité à la fin d'un mois en additionnant le surplus (ou, le cas échéant, en soustrayant le déficit) de liquidité du mois et le niveau de liquidité à la fin du mois précédent.

La figure 6.3 montre l'évolution de la liquidité de l'entreprise et des ventes mensuelles. On observe que les mois où les ventes sont élevées correspondent aux mois où les liquidités sont faibles et vice-versa. À mesure que les ventes mensuelles augmentent, au début de l'été, on assiste à une baisse marquée des liquidités de l'entreprise. Vers la fin de l'année, lorsque les ventes diminuent, les liquidités augmentent. Ce phénomène est caractéristique des entreprises qui font face à d'importants cycles saisonniers.

Même si le niveau de liquidité de Gazup inc. passe de 191 989 $ au début de janvier à 552 029 $ au 31 décembre, il devient négatif à la fin des mois de mai à septembre. Si l'entreprise désire garder une encaisse minimale de 200 000 $, elle devra alors utiliser une marge de crédit pendant sept mois, soit d'avril à octobre.

Le budget de caisse est l'outil idéal pour évaluer la marge de crédit requise par l'entreprise. Pour Gazup inc., il faudrait négocier une marge de crédit de 800 000 $, ce

Figure 6.3

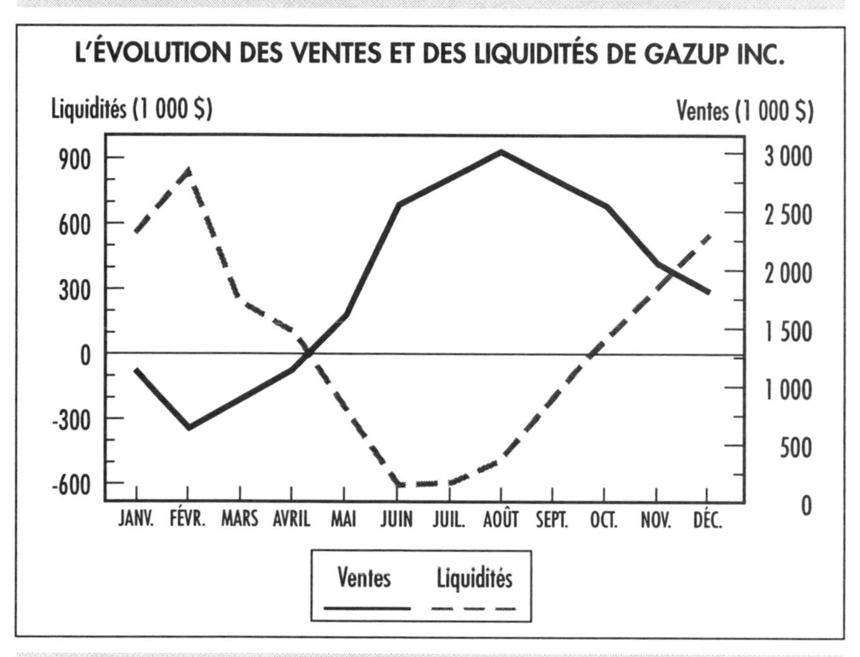

L'ÉVOLUTION DES VENTES ET DES LIQUIDITÉS DE GAZUP INC.

qui représente le besoin maximal d'emprunt durant l'année. Le budget de caisse permet aussi de déterminer les périodes de l'année pendant lesquelles l'entreprise dispose de fonds excédentaires, qui peuvent être investis temporairement. Il renseigne également sur l'échéance idéale d'éventuels placements à court terme. Par exemple, il serait judicieux de placer les 365 000 $ excédentaires en janvier pour plus de 30 jours, puisqu'en février on prévoit aussi un surplus de liquidités. On pourrait donc envisager un placement d'environ 60 jours. Un placement pour une période plus longue pourrait obliger l'entreprise à le liquider avant échéance ou à utiliser sa marge de crédit, occasionnant ainsi des frais inutiles.

On construit habituellement un budget de caisse à l'aide d'un tableur (Lotus 1-2-3, Excel, etc.). On peut ainsi le modifier rapidement à mesure que l'information se précise. Il est aussi plus facile de déceler l'effet de certains changements dans les hypothèses de travail sur le niveau de liquidité et les besoins d'emprunt. En raison de la rapidité de calcul des tableurs, on peut, par exemple, évaluer l'impact d'une réduction des ventes de 20 % ou l'impact d'un profil plus lent d'encaissement des ventes. Quelques exemples d'analyse de sensibilité sont commentés plus loin dans ce chapitre.

LA PRÉPARATION DE L'ÉTAT PRÉVISIONNEL DES REVENUS ET DES DÉPENSES

Les hypothèses qui ont servi à la préparation du budget de caisse nous serviront également à la préparation de l'état prévisionnel des revenus et des dépenses. De fait, le travail est presque fait, puisqu'il a fallu évaluer les revenus et les dépenses pour obtenir les encaissements et les déboursements du budget de caisse. Pour l'entreprise Gazup inc., nous avons choisi d'utiliser les relations historiques entre les dépenses et les ventes pour estimer les divers postes de dépenses.

En général, les postes de dépenses suivants évoluent avec les ventes, on dit qu'ils sont variables : le coût des matières premières, le coût de la main-d'œuvre directe, les frais de vente et les frais de livraison. D'autres, comme les dépenses d'administration, peuvent être relativement stables à l'intérieur d'une certaine fourchette de ventes. Ils sont répartis également dans l'année. Les dépenses d'amortissement dépendent du montant des immobilisations nettes et les dépenses d'intérêt dépendent des dettes de l'entreprise. On dit de ces derniers postes qu'ils sont fixes, parce qu'ils ne sont pas influencés directement par les ventes. Le montant des impôts, lui, dépend du revenu imposable et du taux d'imposition.

Le tableau 6.8 (page 172) présente l'état prévisionnel des revenus et des dépenses pour les deux semestres à venir et pour l'exercice financier complet, qui va du 1er janvier au 31 décembre 1995. Pour préparer celui du premier semestre, nous utilisons les prévisions des ventes mensuelles du tableau 6.1 (page 155), qui indiquent un total de 8 050 000 $ pour les six premiers mois. Le coût des marchandises vendues, celui de la main-d'œuvre directe, les frais de ventes et les frais de livraison sont évalués en appliquant les pourcentages respectifs de 47,4 %, 19,6 %, 11,0 % et 12,2 %. Les frais annuels de location et d'administration demeurent les mêmes qu'en 1994, soit respectivement 102 300 $ et 459 436 $, et sont répartis également sur les deux semestres. L'amortissement prévu est de 675 000 $ pour l'année, soit 337 500 $ pour chaque semestre. Les frais d'intérêt comprennent les intérêts sur la marge de crédit, que nous avons évalués au budget de caisse, et les intérêts sur la dette à long terme, qu'on obtient par les calculs présentés au tableau 6.9 (page 173). L'impôt est calculé au taux de 46 %.

L'état prévisionnel des revenus et des dépenses du premier semestre indique une perte. Pour expliquer cela, rappelons que seulement 35 % des ventes annuelles sont réalisées dans ce semestre, alors que les dépenses d'amortissement, d'administration, de location et d'intérêt sont réparties également sur toute l'année. D'ailleurs, le deuxième semestre montre une nette amélioration.

Les 400 000 $ en dividendes que l'entreprise désire verser à ses actionnaires sont supérieurs aux bénéfices nets prévus de 350 000 $. Toutefois, cela ne devrait pas causer de problèmes. En fait, la dépense d'amortissement de 675 000 $ n'entraîne pas de sorties de fonds et la marge brute d'autofinancement interne se situe à environ 1 025 000 $. Le budget de caisse nous indiquait d'ailleurs que le niveau de liquidité passerait de 192 000 $ à 552 000 $, malgré le paiement des dividendes. En gros, la marge brute d'autofinancement interne de 1 025 000 $ sera utilisée de la façon suivante : 400 000 $ pour verser les dividendes, 220 000 $ pour rembourser le capital sur la dette à long terme et 360 000 $ pour augmenter les liquidités. Une partie servira à augmenter le fonds de roulement net.

Tableau 6.8

L'ÉTAT PRÉVISIONNEL DES REVENUS ET DES DÉPENSES DE GAZUP INC. POUR 1995

	1er janvier au 30 juin	1er juillet au 31 décembre	1er janvier au 31 décembre
Ventes	**8 050 000 $**	**14 950 000 $**	**23 000 000 $**
Escompte	0 $	0 $	0 $
Coût des matières premières	(3 815 700)	(7 086 300)	(10 902 000)
Main-d'œuvre directe	(1 577 800)	(2 930 200)	(4 508 000)
Bénéfices bruts	2 656 500 $	4 933 500 $	7 590 000 $
Frais de ventes	(885 500)$	(1 644 500)$	(2 530 000)$
Frais de livraison	(982 100)	(1 823 900)	(2 806 000)
Frais de location	(51 150)	(51 150)	(102 300)
Dépenses d'administration	(229 718)	(229 718)	(459 436)
Amortissement	(337 500)	(337 500)	(675 000)
Bénéfices d'exploitation	170 532 $	846 732 $	1 017 264 $
Frais d'intérêt :			
– sur la marge de crédit ;	(6 958)$	(34 812)$	(41 770)$
– sur la dette à long terme.	(166 532)	(161 289)	(327 821)
Bénéfices avant impôt	(2 958)$	650 631 $	647 673 $
Impôt	1 361 $	(299 290)$	(297 929)$
Bénéfices nets	(1 597)$	351 340 $	349 743 $

L'ANALYSE DE SENSIBILITÉ : POUR CONFIRMER LES HYPOTHÈSES

Plusieurs hypothèses ont servi à la préparation des états financiers prévisionnels. Souvent, lors de discussions, certaines hypothèses sont remises en question. À tout le moins, il peut être intéressant de connaître l'impact que peut avoir telle ou telle hypothèse sur les résultats. L'analyse de sensibilité devient alors un outil essentiel et, lorsque les états financiers prévisionnels sont préparés à

Tableau 6.9

LE CALCUL DES FRAIS D'INTÉRET SUR LA DETTE À LONG TERME DE GAZUP INC.

Emprunt de 1994		**1er janvier au 30 juin**	**1er juillet au 31 décembre**
Solde du capital		765 630 $	765 630 $
× taux annuel d'intérêt		12 %	12 %
× portion d'année		0,50	0,50
Dépense d'intérêt		**45 938 $**	**45 938 $**
Emprunt de 1986	**1er janvier au 31 mars**	**1er avril au 30 juin**	**1er juillet au 31 décembre**
Solde du capital	2 621 616	2 403 148	2 403 148
× taux annuel d'intérêt	9,6 %	9,6 %	9,6 %
× portion d'année	0,25	0,25	0,50
Dépense d'intérêt	**62 919**	**57 675**	**115 351**
Dépense d'intérêt pour les deux emprunts			
Premier semestre	45 938 + 62 919 + 57 675 = 166 532		
Deuxième semestre	45 938 + 115 351 = 161 289		

l'aide d'un tableur, sa réalisation est facile. Par exemple, le profil d'encaissement des ventes peut être modifié pour évaluer l'impact d'une nouvelle politique d'escompte pour paiement rapide.

Nous présenterons ici trois types d'analyse de sensibilité, réalisées à partir des états financiers prévisionnels de Gazup inc. Le premier porte sur la détermination d'un escompte pour paiement rapide, le deuxième, sur le montant prévu des ventes annuelles et le troisième, sur la marge brute de l'entreprise. Dans chaque cas, trois variables sont considérées : le besoin d'emprunt maximal, l'encaisse au 31 décembre 1995 et le bénéfice net de l'année.

La détermination d'un escompte pour paiement rapide

Les états financiers prévisionnels de Gazup inc. révèlent un profil d'encaissement des ventes de « 20, 80 ». L'entreprise pourrait essayer de modifier ce profil d'encaissement en accordant un escompte de 2 % sur toute facture acquittée avant 10 jours. Pour évaluer l'impact d'un tel changement, on peut faire une analyse de sensibilité en modifiant le profil d'encaissement. En effet, un nouvel escompte devrait modifier le comportement des clients et modifier le profil d'encaissement des ventes.

Le tableau 6.10 montre que le besoin d'emprunt maximal pourrait être réduit à 106 000 $ si on obtenait un profil d'encaissement de « 50, 50 ». Quant à l'encaisse disponible au 31 décembre 1995, elle passerait à 913 000 $. Par contre, le bénéfice net de l'entreprise diminuerait, en raison du manque à gagner que représente l'escompte réclamé par les clients. Il passerait de 349 743 $ à 246 830 $.

Tableau 6.10

L'ANALYSE DE SENSIBILITÉ PAR RAPPORT À LA DÉTERMINATION D'UN ESCOMPTE POUR PAIEMENT RAPIDE[1]

	Sans escompte	Avec escompte			
	« 20, 80 »	« 20, 80 »	« 30, 70 »	« 40, 60 »	« 50, 50 »
Besoin d'emprunt maximal	791 583 $	833 641 $	584 126 $	345 238 $	106 464 $
Encaisse au 31 décembre	552 029 $	456 005 $	612 907 $	765 074 $	913 449 $
Bénéfices nets de l'année	349 743 $	297 890 $	283 257 $	266 068 $	246 830 $

1. En faisant l'hypothèse que les clients qui paient dans le mois de la vente se prévalent tous de l'escompte de 2 %.

D'autres paramètres, comme la réaction des concurrents ou les coûts de modification des systèmes de contrôle de la perception, doivent entrer en ligne de compte avant de prendre une décision concernant l'escompte. L'analyse de sensibilité permet cependant de cerner les principales implications financières.

L'analyse précédente montre bien la distinction qui existe entre les revenus et les encaissements. Dans cet exemple précis, il est clair (ou paradoxal, pour certains) qu'un revenu moindre s'accompagne d'une encaisse plus élevée à la fin de l'année. L'augmentation de l'encaisse est la conséquence directe d'une importante diminution des comptes à recevoir. Toutefois, l'impact sur les revenus est récurrent et se fera sentir au cours des années à venir, alors que l'impact sur l'encaisse disponible est ponctuel.

La variation des prévisions de ventes

Le tableau 6.11 montre un autre type d'analyse de la sensibilité où c'est le volume des ventes qui change. On constate qu'une augmentation des ventes se traduirait par une hausse du besoin maximal d'emprunt, une encaisse au 31 décembre plus élevée et plus de bénéfices nets.

Il peut paraître surprenant qu'une entreprise rentable soit obligée d'emprunter davantage lorsque ses ventes augmentent. C'est précisément dû à la chronologie des encaissements et des déboursements. Pendant les mois d'avril à juin, l'entreprise doit effectuer d'importants déboursés, pour préparer les mois fébriles de ventes de juillet à décembre. Les encaissements, eux, arrivent avec un certain retard. L'entreprise doit donc financer un déficit de liquidité proportionnel à l'importance des ventes. Ce besoin de financement est cependant temporaire.

Tableau 6.11

L'ANALYSE DE SENSIBILITÉ PAR RAPPORT AUX VENTES PRÉVUES					
Ventes (en millions de $)	**20,0**	**21,5**	**23,0**	**24,5**	**26,0**
Besoin d'emprunt maximal	717 776 $	753 648 $	791 583 $	835 886 $	880 188 $
Encaisse au 31 décembre	399 307 $	475 829 $	552 029 $	628 229 $	704 428 $
Bénéfices nets de l'année	192 494 $	271 206 $	349 543 $	428 281 $	506 818 $

La modification de la marge brute

Le tableau 6.12 présente une analyse de sensibilité par rapport au coût des marchandises vendues. Au départ, nous avons supposé que le coût des marchandises vendues représentait 47,4 % du montant des ventes. Lorsqu'on fait varier ce pourcentage, on s'aperçoit que cette variable est très critique pour l'entreprise Gazup inc. Par exemple, si le pourcentage passe à 49 %, le besoin d'emprunt maximal augmente à 935 000 $, et l'encaisse à la fin de l'année se situe à 200 000 $, soit l'encaisse minimale. En fait, l'entreprise ne parvient plus à rembourser complètement son emprunt bancaire. Pour cette raison, nous avons ajouté le montant d'emprunt bancaire au 31 décembre 1995 au tableau d'analyse de sensibilité pour mieux illustrer cette nouvelle situation.

L'analyse de sensibilité permet d'identifier une des variables critiques de la gestion de Gazup inc. Ses dirigeants devraient en effet surveiller étroitement les ratios qui déterminent la marge brute sur les ventes, puisque ceux-ci influencent considérablement les résultats prévus. Si le coût des marchandises vendues dépassait 50 %, l'entreprise pourrait même subir des pertes.

Tableau 6.12

L'ANALYSE DE SENSIBILITÉ PAR RAPPORT AU COÛT DES MARCHANDISES VENDUES

Coût des marchandises vendues (% des ventes)	46,0 %	47,4 %	48,0 %	49,0 %	50,0 %
Besoin d'emprunt maximal	703 632 $	791 583 $	844 243 $	935 451 $	1 026 658 $
Encaisse au 31 décembre	858 438 $	552 029 $	419 650 $[1]	200 000 $[1]	200 000 $
Bénéfices nets de l'année	515 204 $	349 543 $	278 259 $	158 153 $	38 047 $
Emprunt bancaire au 31 décembre	0 $	0 $	0 $	2 768 $	225 187 $

1. L'encaisse minimale requise de 200 000 $ n'est atteinte qu'avec un emprunt bancaire.

CONCLUSION

La planification des besoins en fonds de roulement fait partie intégrante du processus de planification globale de l'entreprise. Beaucoup de décisions dépendent des prévisions de ventes. Une augmentation des ventes doit généralement être soutenue par une augmentation des actifs. Lorsque l'augmentation est temporaire ou causée par un cycle saisonnier, ce sont surtout les actifs à court terme qui augmentent. Une augmentation soutenue des ventes finira tout de même par toucher les besoins en immobilisations.

Les états financiers prévisionnels, en particulier le budget de caisse, sont des outils de planification très utiles pour la gestion du fonds de roulement. Ils permettent de prévoir les périodes d'excédent et de déficit des liquidités, et d'identifier les variables qui ont le plus d'influence sur la gestion financière à court terme de l'entreprise.

BIBLIOGRAPHIE

Fortin, A, *État de l'évolution de la situation financière : nouvelles perspectives*, Presses de l'Université du Québec, Québec, 1987.

Fortin, R., Létourneau, M. et Lévesque, M., *Introduction à la finance corporative*, 2e éd., Université du Québec à Rimouski, Rimouski, 1992.

Johnson, J.M., Campbell, D.R. et Wittenbach, J.L., « Identifying and Resolving Problems in Corporate Liquidity », *Financial Executive*, mai 1982, p. 41 à 46.

Park, J.C., « Budget Systems : Make the Right Choice », *Financial Executive*, mars 1984, p. 26 à 35.

Richard, V.D. et Laughlin, E.J., « A Cash Conversion Cycle Approach to Liquidity Analysis », *Financial Management*, printemps 1980, p. 32 à 38.

Scott, D.F. fils, Moore, L.J., Saint-Denis, A., Archer, E. et Taylor, B.W., « Implementation of a Cash Budget Simulator at Air Canada », *Financial Management*, été 1979, p. 46 à 52.

Smith, K.V., « Profitability versus Liquidity Tradeoffs in Working Capital Management », *Readings on the Management of Working Capital*, 2e éd., Smith, K.V. (éd.), West Publishing Co., St. Paul (Minnesota), 1980, p. 549 à 562.

Stone, B.K., « Cash Planning and Credit Line Determination with a Financial Statement Simulator : A Case Report on Short Term Financial Planning », *Journal of Financial and Quantitative Analysis*, décembre 1973, p. 711 à 729.

CONCLUSION

LA CLÉ DU SUCCÈS : UN FINANCEMENT APPROPRIÉ

La plupart des entreprises font face à des cycles saisonniers au cours d'une année d'exploitation normale. Ces cycles peuvent être occasionnés par les fluctuations de la demande, comme c'est le cas pour plusieurs entreprises actives dans le commerce de détail, ou par des fluctuations dans le mode d'approvisionnement, comme chez les entreprises de transformation de poissons.

Ces cycles saisonniers ont un impact direct sur les besoins en fonds de roulement qui, eux aussi, suivent les mêmes cycles. Par exemple, le budget de caisse de Gazup inc., présenté au chapitre précédent, nous montre que la période de pointe des ventes, située en août et en septembre, a engendré une demande maximale de liquidités pendant les mois de juin et de juillet. Un bilan au 30 juin 1995 indiquerait certainement un volume important de stocks, accompagné de comptes à recevoir élevés.

Ces cycles se produisent chaque année et nécessitent un financement approprié. On peut illustrer l'évolution des besoins de financement d'une entreprise cyclique par la figure ci-dessous. Comme on l'a vu, les immobilisations et le fonds de roulement naturel constituent l'ensemble des besoins de financement. L'actif à

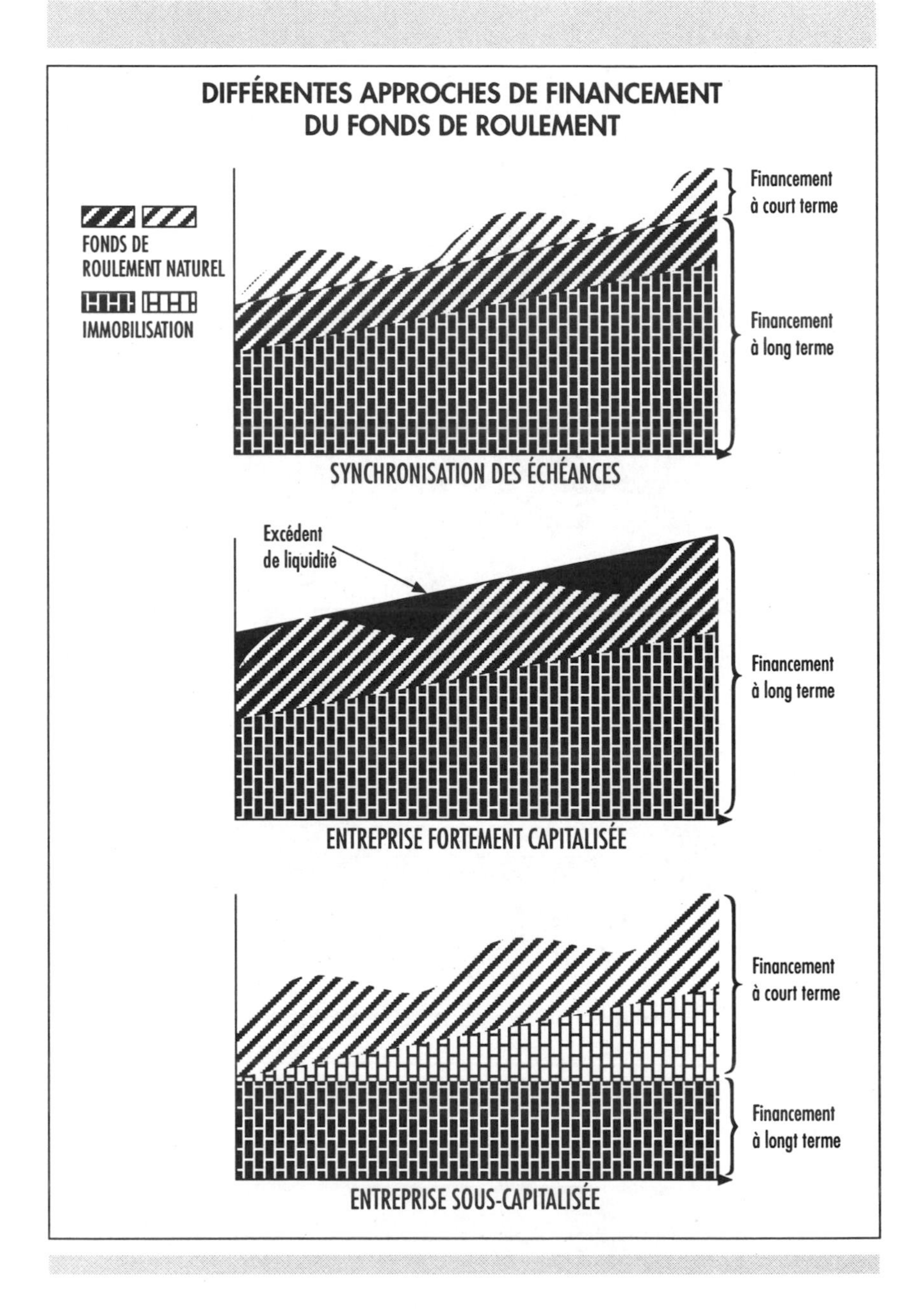
DIFFÉRENTES APPROCHES DE FINANCEMENT
DU FONDS DE ROULEMENT
FONDS DE
ROULEMENT NATUREL
IMMOBILISATION
Financement
à court terme
Financement
à long terme
SYNCHRONISATION DES ÉCHÉANCES
Excédent
de liquidité
Financement
à long terme
ENTREPRISE FORTEMENT CAPITALISÉE
Financement
à court terme
Financement
à longt terme
ENTREPRISE SOUS-CAPITALISÉE

long terme n'est pas directement influencé par les cycles saisonniers. On conçoit cependant qu'une entreprise en croissance devra augmenter graduellement la valeur de ses immobilisations. Le fonds de roulement naturel, lui, suit la courbe des cycles saisonniers.

Face à cette situation, l'entreprise doit choisir un mode de financement adéquat. Pour les immobilisations, le choix portera généralement entre deux formes de financement à long terme : la dette à long terme, dans la mesure où les prêteurs acceptent les actifs en garantie, et l'avoir des actionnaires.

Pour financer le fonds de roulement naturel, plusieurs approches sont suggérées. L'une d'elles repose sur le fait que, même si les actifs à court terme peuvent augmenter ou diminuer en cours d'année, ils ne sont jamais complètement absents, de sorte que le fonds de roulement naturel n'est jamais nul. Un niveau minimal de financement se trouve donc en permanence dans l'entreprise, et c'est surtout un financement à long terme qui est souhaitable. Souvent, cette partie du fonds de roulement sera financée par l'avoir des actionnaires, la capacité maximale d'emprunt à long terme étant limitée par la valeur des garanties que représentent les immobilisations. L'autre portion du fonds de roulement naturel, qu'on pourrait appeler la portion fluctuante, sera financée temporairement par des emprunts à court terme. Avec une marge de crédit, le montant du financement s'ajuste parfaitement au montant requis. Cette approche, appelée la **synchronisation des échéances**, est illustrée à la figure de la page 180.

Une autre approche consiste à financer à long terme la totalité des besoins de financement, afin d'éviter le recours au financement à court terme. Dans ce cas, on doit veiller, pour réduire le coût du financement, à investir temporairement les excédents de liquidité chaque fois que le financement à long terme excède les besoins. Cette stratégie requiert évidemment une mise de fonds des actionnaires beaucoup plus élevée, c'est ce qu'on appelle une **entreprise fortement capitalisée**.

Ces deux approches sont aux antipodes. La seconde réduit au minimum le risque d'insolvabilité, l'entreprise n'ayant pas à craindre les rappels de prêts ni à se préoccuper du renouvellement des ententes de financement. Par contre, le coût d'opportunité des fonds utilisés en fait une stratégie coûteuse. L'intérêt réalisé sur les placements à court terme sera généralement inférieur au coût d'opportunité des fonds investis. La première approche exige plus de vigilance de la part des dirigeants. À moins que l'entreprise n'ait négocié une marge de crédit très élevée, des besoins imprévus de liquidité peuvent l'obliger à reporter certains paiements ou à trouver des solutions rapides qui seront parfois coûteuses (renoncer à un escompte, liquider des stocks, contracter un nouvel emprunt, etc.).

Il arrive aussi que des entreprises, dont la croissance est rapide et soutenue pendant plusieurs années, se retrouvent dans une situation où une partie des immobilisations est financée par la marge de crédit. Elles s'exposent alors à un risque évident, lié à la renégociation des ententes de financement. De plus, la marge de crédit perd son sens et son utilité, puisqu'il n'y a plus de marge ! La figure de la page 180 nous présente des **entreprises sous-capitalisées**. Le seul remède est une nouvelle capitalisation et un refinancement.

En conclusion, on peut dire que gérer ses affaires, c'est en grande partie gérer son fonds de roulement. Cela implique de réduire par tous les moyens les actifs improductifs : soldes d'encaisse inutilisés, comptes à recevoir en retard, stocks trop importants ou désuets. L'entrepreneur doit savoir utiliser les outils qui lui permettront de réduire la taille de son fonds de roulement. Automatiquement, la rentabilité de l'entreprise s'en trouvera améliorée. Lorsque ce défi sera relevé, le choix d'une structure de financement appropriée, dans laquelle la capitalisation est suffisante, devrait permettre à l'entreprise de traverser, sans coup férir, les inévitables cycles économiques.

Il ne nous reste plus qu'à espérer que ce livre saura contribuer à l'essor de l'entrepreneurship, étape essentielle vers l'amélioration des conditions économiques de notre société.

Profession : vendeur	
Vendez plus... et mieux !	**19,95 $**
Jacques Lalande	140 pages, 1995
Virage local	
Des initiatives pour relever le défi de l'emploi	**24,95 $**
Anne Fortin et Paul Prévost	275 pages, 1995
Des occasions d'affaires	
101 idées pour entreprendre	**19,95 $**
Jean-Pierre Bégin et Danielle L'Heureux	184 pages, 1995
Comment gérer son fonds de roulement	
Pour maximiser sa rentabilité	**24,95 $**
Régis Fortin	186 pages, 1995
Naviguer en affaires	
La stratégie qui vous mènera à bon port !	**24,95 $**
Jacques P.M. Vallerand et Philip L. Grenon	208 pages, 1995
Des marchés à conquérir	
Chine, Hong Kong, Taiwan et Singapour	**29,95 $**
Pierre R. Turcotte	300 pages, 1995
De l'idée à l'entreprise	
La République du thé	**29,95 $**
Mel Ziegler, Patricia Ziegler et Bill Rosenzweig	364 pages, 1995
Entreprendre par le jeu	
Un laboratoire pour l'entrepreneur en herbe	**19,95 $**
Pierre Corbeil	160 pages, 1995
Donnez du PEP à vos réunions	
Pour une équipe performante	**19,95 $**
Rémy Gagné et Jean-Louis Langevin	128 pages, 1995
Marketing gagnant	
Pour petit budget	**24,95 $**
Marc Chiasson	192 pages, 1995
Faites sonner la caisse !!!	
Trucs et techniques pour la vente au détail	**24,95 $**
Alain Samson	216 pages, 1995
En affaires à la maison	
Le patron, c'est vous !	**26,95 $**
Yvan Dubuc et Brigitte Van Coillie-Tremblay	344 pages, 1994
Le marketing et la PME	
L'option gagnante	**29,95 $**
Serge Carrier	346 pages, 1994
Développement économique	
Clé de l'autonomie locale	**29,95 $**
Sous la direction de Marc-Urbain Proulx	368 pages, 1994

Votre PME et le droit (2e édition)
Enr. ou inc., raison sociale, marque de commerce
et le nouveau Code Civil — **19,95 $**
Michel A. Solis — 136 pages, 1994

Mettre de l'ordre dans l'entreprise familiale
La relation famille et entreprise — **19,95 $**
Yvon G. Perreault — 128 pages, 1994

Pour des PME de classe mondiale
Recours à de nouvelles technologies — **29,95 $**
Sous la direction de Pierre-André Julien — 256 pages, 1994

Famille en affaires
Pour en finir avec les chicanes — **24,95 $**
Alain Samson en collaboration avec Paul Dell'Aniello — 192 pages, 1994

Profession : entrepreneur
Avez-vous le profil de l'emploi ? — **19,95 $**
Yvon Gasse et Aline D'Amours — 140 pages, 1993

Entrepreneurship et développement local
Quand la population se prend en main — **24,95 $**
Paul Prévost — 200 pages, 1993

Comment trouver son idée d'entreprise (2e édition)
Découvrez les bons filons — **19,95 $**
Sylvie Laferté — 159 pages, 1993

L'entreprise familiale (2e édition)
La relève, ça se prépare ! — **24,95 $**
Yvon G. Perreault — 292 pages, 1993

Le crédit en entreprise
Pour une gestion efficace et dynamique — **19,95 $**
Pierre A. Douville — 140 pages, 1993

La passion du client
Viser l'excellence du service — **24,95 $**
Yvan Dubuc — 210 pages, 1993

Entrepreneurship technologique
21 cas de PME à succès — **29,95 $**
Roger A. Blais et Jean-MarieToulouse — 416 pages, 1992

Devenez entrepreneur (2e édition)
Pour un Québec plus entrepreneurial — **27,95 $**
Paul-A. Fortin — 360 pages, 1992

Correspondance d'affaires
Règles d'usage françaises et anglaises et 85 lettres modèles
Brigitte Van Coillie-Tremblay, Micheline Bartlett — **24,95 $**
et Diane Forgues-Michaud — 268 pages, 1991

Autodiagnostic
L'outil de vérification de votre gestion — **16,95 $**
Pierre Levasseur, Corinne Bruley et Jean Picard — 146 pages, 1991